跟我学汉语

教师用书 第二册

LEARN CHINESE WITH ME

TEACHER'S BOOK 2

人民教育出版社
People's Education Press

教材项目规划小组

严美华　姜明宝　张少春
岑建君　崔邦焱　宋秋玲
赵国成　宋永波　郭　鹏

主　　编　陈　绂　朱志平
编写人员　徐彩华　朱志平　娄　毅
宋志明　陈　绂
英文翻译　李长英

封面设计　张立衍
插图制作　北京天辰文化艺术传播有限公司

责任编辑　施　歌
审　　稿　王本华　吕　达

跟我学汉语
教师用书　第二册
*
人民教育出版社出版发行
网址： http://www.pep.com.cn
北京人卫印刷厂印装　全国新华书店经销
*
开本：890 毫米×1 240 毫米　1/16　印张：10.75　插页：1　字数：160 000
2004 年 8 月第 1 版　2005 年 12 月第 2 次印刷
印数：3 501～5 500 册
ISBN 7－107－17544－0 / G・10633（课）　定价：30.40 元
如发现印、装质量问题，影响阅读，请与出版科联系调换。
（联系地址：北京市海淀区中关村南大街 17 号院 1 号楼　邮编：100081）

目 录

附 录

致教师

您好！感谢您选择使用《跟我学汉语》。

《跟我学汉语》是一套专为海外中学生设计的汉语教材。

中学生正处在身体、思想等各方面从儿童向成人发展的过渡时期。这个时期的学生对新知识充满好奇，但是志向尚未确定。因此，这个阶段的教育应该以培养兴趣为主，语言教育也是这样。《跟我学汉语》这套教材正是基于这个主导思想来确定它的编写原则和基本体例的。

我们全体编者都是汉语作为第二语言教学的第一线的教师。在编写这套教材的过程中，我们始终努力从自己亲身进行教学的角度去设计教材、安排内容。但是，我们对于海外中学生的日常生活和性格特征的了解毕竟还很有限，而且，在教材编写的前期调研中我们也认识到，目前国内汉语作为第二语言教学与海外第二语言教学，特别是中学汉语教学，在教学理念和教学思想上还存在一定差异。不过我们相信，在多元文化交流频繁的21世纪，我们必能在与海外同行的交流与理解中来缩小这种差异。因此，我们衷心地希望并欢迎您提出宝贵的意见，为这套教材的进一步修订，也为我们共同为之努力的汉语教学事业。

下面我们就向您介绍《跟我学汉语》，请您在使用以前仔细阅读这套教材的编写原则和基本体例，以便您能全面了解这套教材，充分运用我们向您提供的全部参考资料。

编 者

2004 年 3 月

To the Teachers

Hello, thank you for using *Learn Chinese with Me.*

Learn Chinese with Me is a set of textbooks designed especially for overseas high school students.

During high school students develop from adolescence to adulthood and are keen to learn but have yet to set their goals in life. Their education, including language training, should therefore focus on fostering their interests. The style and content of *Learn Chinese with Me* were compiled on this principle.

All the contributors are first-line teachers of teaching Chinese as a second language and the textbooks have always been compiled with the teaching of the students in mind. Due to differences in culture, there are however some differences between teaching Chinese as a second language in China and teaching Chinese as a second language abroad, especially at high school level, in terms of teaching concept and ideology. The research we conducted before compiling these textbooks proved the existence of such differences. Nevertheless, we are still convinced that in a century where various cultures are intermingling with each other, we can bridge the gap through mutual understanding and exchange of ideas with our overseas counterparts. Thus, we sincerely welcome any suggestions for the improvement of this series of textbooks and the cause of teaching Chinese we have both been endeavouring at.

Now we would like to introduce you to *Learn Chinese with Me*. Please read the compiling principles and the stylistic rules carefully first so that you have an overall understanding of this series of textbooks and will be able to use all the reference materials provided.

The compilers

March 2004

《跟我学汉语》编写说明

一　教材的适用对象

《跟我学汉语》是一套专为中学生设计的教材，使用对象主要是以英语为母语的中学生（或年龄在15～18岁的以汉语为第二语言的学习者），适用于北美地区中学汉语教学，可供9～12年级使用。水平从零起点至初、中级阶段，1～4册学生用书涉及汉语词汇约2000个。

二　教材包括的内容

《跟我学汉语》全套教材共12本（含有与学生用书相配套的语音听力材料），包括：

9年级（零起点）学生用书（第一册），以及配套的教师用书、练习册各一本；

10年级学生用书（第二册），以及配套的教师用书、练习册各一本；

11年级学生用书（第三册），以及配套的教师用书、练习册各一本；

12年级学生用书（第四册），以及配套的教师用书、练习册各一本。

三　教材编写原则

1．总体设计原则

内容安排自然、有趣，符合第二语言学习规律。框架设计采用结构与功能相结合的原则，语言知识通过一定的话题体现在语言交际中。给学生的语言材料生动有趣，符合一定的交际功能的需要。不单纯追求汉语知识的系统和完整，但给教师的参考资料力求知识系统、丰富、翔实。

2．语法结构和表达功能

这套教材以零为起点，终点接近中级汉语水平。结合基本的日常生活不同表达功能的需要，教材将初级汉语水平阶段所涉及的句型和语法点根据话题的需要加以安排。语法点出现的顺序除了考虑功能的需要以外，还兼顾了汉语结构的难易，同时尽量吸收了当前汉语作为第二语言习得研究特别是对以英语为母语的汉语习得研究的最新成果。

3. 语言材料的编排和词汇呈现的方式

为了适应中学阶段活泼好动的年龄特征,《跟我学汉语》尽量采用中学生熟悉并喜爱的话题，以话题为线索来编排语言材料。2001年编者在北美地区对两个城市的中学生进行了“你感兴趣的话题”的问卷调查，这套教材的话题即是从500多份调查材料中精心筛选出来的,既吸收了中学生的意见,也符合日常交际的需要。我们根据交际的需要和第二语言习得的规律安排话题的顺序,使学生能自然、直接地接触真实生活中的汉语。

《跟我学汉语》词汇的呈现分两部分：必学词和补充词。“必学词”是表达某个交际功能所必需的和在课文中要涉及到的词汇,这部分词汇在每一课中呈现的数量是根据学生在一定时间内所能掌握的词汇数量来确定的,并分别列入生词表和课本后的词汇总表,解释比较详尽,教师应当在学完每一课以后了解并确定学生是否已经基本掌握这些词；“补充词”是帮助学生理解、运用某个功能或进行替换、扩展练习时用的词汇，带有英语翻译，这些词汇可以根据学生的语言基础和学习进度由学生自己掌握，或由教师机动安排。

4. 课文故事背景和上下文语境

该教材的使用地是学生的母语地区,鉴于学生不一定有机会直接在日常生活中接触到汉语,《跟我学汉语》的课文在设计时充分考虑到了课文内容的情景性和上下文语境的具体性。教师在帮助学生使用时应当注意到这一点,以便学生能对课文中所介绍的语言功能充分理解，并能举一反三，学会运用。

5. 关于“导入”

“导入”在《跟我学汉语》各册课本中均占有相当重要的地位，主要和交际密切相关。“单元导入”应当看做这个单元内容的一个基本介绍，它可以帮助教师引导学生熟悉将要学习的内容，产生学习兴趣。因此，它是教学过程中一个重要的环节，不可以忽略，教师要安排出一定的时间来完成“导入”这一任务。“单元导入”至少应占一节课的时间，每一课的“导入”应占全课学习时间的五分之一。

6. 文化内容的设定

语言是文化的载体,文化是语言得以理解的基本前提。语言教材不可避免地要反映相应的文化，这也是语言教材义不容辞的责任。鉴于《跟我学汉语》这套教材的使用地是学生的母语地区，尊重大多数海外中学教师的意见，《跟我学汉语》中人物的生活背景尽量不安排在中国大陆，以免给学生带来较大的文化障碍。因此，这套教材的文化分三层提供给教师和学生：第一层在课文中通过人物对话来营造文化氛围，介绍相关文化；第二层在课文外通过语音、文字等练习材料加以介绍；第三层通过教师用书的备用资料来丰富文化内容。教师可以根据课时的弹性程度来安排。比如，在时间和学生水平允许的条件下，语音练习材料既可以作为练音使用，也可以作为一定的文化知识向学生介绍。

7. 语音的特殊设计

《跟我学汉语》采用注音的方式给课文标音。在汉语中有语流变调，即一个音节的声调单读时是一个调，在语流中可能变成另一个调。按照汉语拼音方案，在词典和教材中，一般只标本调，在语流中则要按照实际读音来读。第三声变调和“一”“不”的变调就是如此。鉴于以英语为母语的学生学习声调的困难，这套教材对日常生活中最常出现的两个“变调”现象——“一”和“不”的变调，采取了变通的标注方法，即按实际读音标调。至于第三声变调则标本调，请教学时注意。关于“一”“不”和第三声的变调规律，请详细参考该教材第一册教师用书的“汉语拼音方案”部分。

四　汉语教学法建议

语言教学法的实施不仅和语言教学的目的、对象相关，也和所教语言的特点有着密切的关系。对于英语为母语的学生来说，汉语的难点主要表现在两个方面，一个是语音系统中的声调，一个是书写系统的汉字。从这两个难点出发，我们提出两个教学法的原则：(1) 语音阶段相对集中，重点放在让学生建立起声调的概念；(2) 先学习说话，后读课文；先学词汇，后认汉字；先认字，后写字。

五　如何使用《跟我学汉语》介绍的汉字知识

认字要从结构出发，写字要从笔画入手。我们希望教师将“先认字，后写字”这个原则贯彻始终。您可以根据教师用书在每一课的参考资料中所介绍的文字知识，先引导学生了解汉字结构，然后再引导学生认字、写字。

六　《跟我学汉语》各册学生用书及其和教师用书、学生练习册之间的相互关系

从纵向看，《跟我学汉语》1～4册学生用书的编排特点是：在相邻两册之间，功

能与知识点在水平上呈螺旋式循环上升，并略有交叉，使学生在学习中循序渐进。第一、二两册的编排是结构与功能在一定话题下相结合；第三、四两册则是以功能为主，兼顾语言点的安排。在功能方面，第一、二册重视口语的单句表达，第三、四册逐渐培养和提高学生口语的成段表达能力和阅读能力。对以汉语为第二语言的学习者来说，阅读也应当视为一项交际任务——与作者进行思想交流。

从横向看，学生用书是核心，教师用书和学生练习册作为辅佐。结合中学生活泼好动的特点，《跟我学汉语》在学生用书中尽量不安排语法结构的说解，以避免引起学习焦虑，导致学生失去学习兴趣。但是在教师用书中则有较为详尽的解释以及相关的补充材料，教师应该相机引导学生了解。

七　关于《跟我学汉语》课本容量的说明

《跟我学汉语》教材容量的设计考虑到各个中学学时不一（大部分在110～150小时/年不等），内容安排有一定的弹性。学时少的学校可以仅就学生用书的内容进行学习；课时多的学校可以将教师用书中所提供的资料、活动以及练习册的部分内容作为课堂教学使用。

每一册学生用书共分六个单元以适应各种不同学制。随着年级的上升，各册中每一单元的课数则随每课内容含量的增加相应减少。

第一册每单元6课，共36课，每一课需用时间约4小时。

第二册每单元5课，共30课，每一课需用时间约5小时。

第三册每单元4课，共24课，每一课需用时间约6小时。

第四册每单元3课，共18课，每一课需用时间约7小时。

八　关于《跟我学汉语》学生练习册

在学生练习册中，我们选编了若干练习题与学生用书的每一课相配套，以帮助学生更好地掌握所学内容。每一课均有6～8个练习，随课本程度的加深而变化形式，有一定的趣味性，可以作为学生自学的材料，也可供教师选作课堂练习。

九　关于《跟我学汉语》教师用书

教师用书主要向教师介绍学生用书每一单元以及每一课的内容、编写思想，提供与之相配套的可用于教学的补充内容和教学策略、语言评估策略等等。教师用书的每一课由五部分内容组成：

1. 教学目的——提示学习这一课应该达到的目标；

2. 教学内容——介绍学生应该掌握的主要内容，解释教材的内容安排；

3. 教学建议——提示课时和训练策略；

4. 参考资料——与课文相关的语言文化知识，包括可用于补充的教学内容；

5. 教学评估——提供教师可用的考查或考试方法。每一单元结束时，将设书面测试题若干，供教师选择。

十　如何使用教师用书中的语法资料

为了方便教师教学，在教师用书的“参考资料”中，我们依照每一课的语言要点，向教师提供更详尽的相关语法说明，即“课文注释与语法说明”。教师可以根据教学的实际需要选择使用，不必把它们全都搬进课堂。请注意不要把这部分内容与“教学内容”中的“语言要点”混淆起来，后者是教学内容的提示。

Instructions to *Learn Chinese with Me*

I. The users

Learn Chinese with Me is a series of textbooks designed for high school students. It is mainly targeted at high school students (or teenagers aged between 15 and 18 learning Chinese as a second language) whose mother tongue is English, and at teaching Chinese to 9-12 grades in high schools in North America. The series is designed for the teaching of Chinese from beginner to intermediate level and about 2 000 Chinese words are included in the 4 Student's Books.

II. Course components

The entire series of *Learn Chinese with Me* is composed of 12 books, including the phonetic and listening materials supplemented to the Student's Books.

For Grade 9 (beginners), Student's Book 1, Teacher's Book 1 and Workbook 1 supplemented to Student's Book 1;

For Grade 10, Student's Book 2, Teacher's Book 2 and Workbook 2 supplemented to Student's Book 2;

For Grade 11, Student's Book 3, Teacher's Book 3 and Workbook 3 supplemented to Student's Book 3;

For Grade 12, Student's Book 4, Teacher's Book 4 and Workbook 4 supplemented to Student's Book 4.

III.Compiling principles

1. Principles for overall design

The content is natural and interesting and arranged in accordance with the rules of learning a second language. The framework combined both structures and functions, and the language points are presented via situational topics. The language materials provided for the students are lively and interesting and meet their communicative needs. Although the textbook itself does not lay emphasis on Chinese grammar, the reference materials offered to teachers try to be systematic and sufficient.

2. Grammatical structures and functional usages

This series of textbooks take the students from beginner to intermediate level. To cope with the general needs of conducting daily communication, the textbooks present students with sentence patterns and grammar at the elementary level in situational topics. Besides the consideration given to functional usages, the order in which the grammar is organized is based on the latest research on acquiring Chinese as a second language, especially the acquisition of Chinese by English-speakers.

3. Ways of organizing the language materials and of presenting the vocabulary

Keeping in mind the lively and restless characters of high school students, we have tried to adopt the topics which are familiar and interesting to them and to arrange the language materials in a topical order. In 2001, we conducted a survey among high school students in two North American cities on "Topics That You're Interested in", and the topics in this series of textbooks have been carefully selected from this survey of over 500 questionnaires. They not only take into consideration high school students' interests, but also meet the demands of daily communication. These topics are ordered according to the communicative needs and in the sequence of second language acquisition so that the students can approach Chinese in actual life naturally.

The vocabulary in *Learn Chinese with Me* is presented in two types: compulsory words and supplementary words. Compulsory words are those that are necessary for certain communicative functions and those that have appeared in the text. The number of this type of vocabulary in each lesson is decided according to the number of words a student can master within a period of time. Such vocabulary can be found both in the word list at the end of each lesson and in the general vocabulary list at the end of each book with detailed and complete explanations. The teacher should make sure that the students have basically mastered these words after concluding each lesson. Supplementary words are those that can help students understand and utilize certain function or do word substitution and word expanding exercises. English translation is provided for this type of vocabulary. Students themselves can decide how many of these words they learn according to their level of Chinese and studying progress, or the teacher can arrange them flexibly.

4. Text background and context

In view of the fact that the students may not have the chance to be directly in touch with Chinese in their daily lives since they live in an area where their mother tongue is spoken, *Learn Chinese with Me* employs many actual situations and specific contexts in its texts. The teacher should remind the students of this when helping them use the book, and thus the students can have a thorough understanding of the functions introduced in the text and will be able to use them properly.

5. About "Warming-up"

"Warming-up" plays an important part in each of the books of *Learn Chinese with Me*, and it is closely connected with communicative functions. It is a general introduction to each unit. It can help the teacher familiarize the students with the content they are going to learn and thus arouse their interest. Therefore, it is a key link in the teaching process and should not be ignored. The teacher must spare some time to cover this part, which should take at least one class hour. "Warming-up" in each lesson should take up 1/5th of the total time for learning that lesson.

6. The cultural content

Language is the carrier of culture, and culture is the precondition for a language to be understood. Language books have inevitably to reflect relevant culture, which is an unshrinkable duty. Because *Learn Chinese with Me* is to be applied to an area where the students' mother tongue is spoken, on the advice of overseas high school teachers, the living conditions of the characters in *Learn Chinese with Me* are not placed in Mainland China to avoid possible cultural barriers. The cultural content involved in *Learn Chinese with Me* is provided for the teacher and the students in 3 layers: the 1st layer is what is created and introduced in the text via the characters' conversation; the 2nd layer is indirectly presented outside the text via exercises on phonetics and Chinese characters; and the 3rd layer is what is enriched via the supplementary materials in the Teacher's Book. The teacher can manage the cultural content according to the flexibility of class hours. For instance, provided the time and students' competence, the phonetic exercise materials can be both used for pronunciation practice and introduced to students as a kind of cultural knowledge.

7. The special approach to phonetics

Learn Chinese with Me employs a phonetic notation system to phoneticize the texts. There are tonal changes in the speech flow of Chinese, that is, the tone of a syllable in speech flow may be different from that if the syllable were said by itself. According to the Scheme for the Chinese Phonetic Alphabet, used in dictionaries and textbooks, words with tonal changes are only marked in their original tones but read in the changed tones when spoken. The tonal changes of the 3rd (the falling and rising) tone, "一" (one) and "不" (used for negation) are just such cases. Having taken into consideration the difficulty English-speaking students may encounter when learning the Chinese tones, we have adopted an adapted way of marking the two most common tonal changes in daily life, that is, the tonal changes of "一" and "不". In *Learn Chinese with Me* "一" and "不" are marked with the changed tones, that is the actual tones for reading. For the 3rd tone, only the original tone is provided, which therefore requires the teacher's attention when teaching. As to the rules for the tonal changes of "一" "不" and the 3rd tone, please refer to the section about the Scheme for Chinese Phonetic Alphabet in the Teacher's Book 1.

IV. Chinese teaching approach and methodology

The implementation of language teaching methodology is not only related to the teaching objectives and subjects, but to the characteristics of the language being taught. For students whose mother tongue is English, the difficulties of Chinese lie in two areas: one is the tones of its phonetic system; the other is the characters of its writing system. To cope with the two difficulties, therefore, we proposed two principles for Chinese teaching:

① Intensive training should be given at the phonetic stage, focusing on helping students establish the concept of tones;

② Talking comes before text reading; vocabulary learning comes before character identification; character identification comes before character writing.

V. How to introduce the character knowledge in *Learn Chinese with Me*

Character recognition begins with character structures; character writing starts from character strokes. We hope that the teacher can always bear in mind the principle that "character recognition comes before character writing". The teacher can guide students to learn about the Chinese character structure first and then teach them how to write characters by referring to the character knowledge introduced at the end of each lesson in the Teacher's Book.

VI. The relationship between the components of *Learn Chinese with Me*

As a series, Books 1-4 of *Learn Chinese with Me* possess the following features: The functions and language points in the two neighbouring books are advanced in spiral cycles that sometimes overlap so as to enable the students to learn the knowledge step by step. The grammar structures and functions in Books 1 and 2 are combined together under a certain topic. Books 3 and 4 focus on functional usages while maintaining language points.

With regard to functional usages, Books 1 and 2 focus on spoken expression of single sentences; Books 3 and 4 are aimed at equipping the students with speaking abilities to express themselves in a set of sentences and improving their reading abilities. For students learning Chinese as a second language, reading should also be treated as a communicative task — an interaction of mind with the author.

The Student's Book is the core to the series, and the Teacher's Book and Workbook are supplementary to it. Because high school students possess a lively and restless temperament, the Student's Book of *Learn Chinese with Me* tries not to involve grammar instructions to avoid learning anxiety which may cause students to lose their interest in learning Chinese. However, the Teacher's Book offers detailed explanations and relevant supplementary materials, which the teacher can illustrate to students accordingly. We have included functional usage and sentence patterns for each lesson.

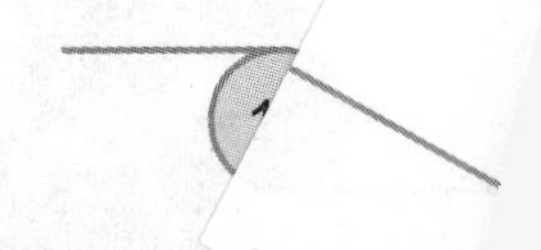

VII. The teaching content

Consideration has been given to the different total class hours each high school has (basically the total class hours vary from 110 to 150 per year) when we designed the teaching content; therefore, the content is quite flexible. For schools having comparatively fewer class hours, the content in the Student's Book will suffice. For schools having more class hours, the materials and activities provided in the Teacher's Book and some exercises in the Workbook can be used in class.

Each Student's Book comprises 6 units to meet the demand of different schooling systems. The number of the lessons in each unit dwindles as the content in each lesson increases.

For Student's Book 1, there are 6 lessons in each unit, and 36 lessons in all. Each lesson takes around 4 hours.

For Student's Book 2, there are 5 lessons in each unit, and 30 lessons in all. Each lesson takes around 5 hours.

For Student's Book 3, there are 4 lessons in each unit, and 24 lessons in all. Each lesson takes around 6 hours.

For Student's Book 4, there are 3 lessons in each unit, and 18 lessons in all. Each lesson takes around 7 hours.

VIII. The Workbook of *Learn Chinese with Me*

To help students to master the text, we compiled some exercises to form the Workbook as a supplement to the Student's Book. For each lesson, there are 6-8 types of interesting exercises, and the forms will change accordingly when the content of the textbook moves towards a higher level. The Workbook can be used both as self-teaching materials and for classwork.

IX. The Teacher's Book

The Teacher's Book provides teachers with introductions to each unit and lesson, compiling principles, supplementary materials to each lesson in the Student's Book, teaching approaches, and language evaluation strategies etc. There are five sections in the Teacher's Book:

1. teaching objectives — to set out the goals of the lesson;

2. teaching contents — to introduce the main things that the teacher should help students to master, and explain the arrangement of the content in each lesson;

3. teaching suggestions — to remind the teacher of the class instruction time and training strategies;

4. reference materials — to introduce culture related background to the text and some supplementary teaching materials;

5. teaching evaluation and tests — to provide the teacher with evaluation and testing methods. There are some written tests for the teacher to select from at the end of each unit.

X. How to use the materials about grammar in the Teacher's Book

For the convenience of teaching, in the reference materials in the Teacher's Book we have provided the teachers with more detailed explanations on the relevant grammar in each lesson, i.e. "Notes to the Text and Grammar Explanations". The teacher can select from these according to the actual teaching needs rather than instructing all of them in class. Special attention must be paid here: do not confuse this part with the "Language Points" in the "Teaching Content", the latter being a brief introduction to what is to be taught.

第二册学生用书使用说明

一　学生用书的基本框架

《跟我学汉语》第二册学生用书共30课，分6个单元，每个单元5课，每单元最后一课为复习课。

第二册的6个单元是在第一册的基础上对交际功能作进一步的深入与扩展，前5个单元尤其突出地体现这一点，第6个单元则引入一个新的话题——环境保护。因此，从交际技能训练的角度讲，这6个单元的内容基本上是平行的，它们都强调日常交际任务的完成。但是跟第一册相比，第二册在深度和广度上都有很大程度的提高。因此，词汇量要略大于第一册。教师要把教学重点放在日常交际能力的训练上，为进入第三册的学习做准备。

二　汉语教学入门建议

如何开始一门课程，是每个教师都会考虑的。作为编者和您的同行，我们建议本书的使用从文化导入开始，步骤如下：

1. 介绍中国地图，主要是在第一册“全书导入”（中国地理、人口、方言、物产等）的基础上引入有关中国各个民族的知识；

2. 学习制作皮影戏道具，引导学生动手写剧本；

3. 引入汉语教学，开始第一课。

以上步骤可以鼓励学生去查资料，通过讨论等方式完成。

三　学生用书的体例

除了“全书导入”以外，本册学生用书每一单元有“单元导入”（Warming-up），要求学生通过一些活动来熟悉将要学习的这一单元的内容，比如：讨论、调查等等。

每一单元前4课有如下内容：

1. 课文导入（Warming-up）

2. 课文1

3. 课文1注释

4. 课文2

5. 课文2注释

6. 新词语——课文中的生词和短语

7. 课堂练习

8. 听力理解与语音实践

9. 学汉字

每单元第5课为复习课，有如下内容：

1. 课文导入（Warming-up）

2. 以叙述体为主的课文1和课文2，复现该单元主要语言点

3. 新词语——课文中的生词和短语

4. 课堂练习

5. 阅读练习（从第二单元起增加阅读练习）

6. 写作练习（从第二单元起增加写作练习）

7. 朗读练习

8. 歌曲

9. 语法与功能表

四　内容安排示例

1. 单元导入

将该单元要学习的内容以课堂活动的方式介绍给学生，提一些简单的问题让学生用汉语回答，并提供相应的一些词语供学生选用。目的是帮助学生“预热”，熟悉将要学习的词语（拼音）以及课文的主要内容，培养学习兴趣。比如第一单元“导入”(右图)：

Unit One
Jack and His Classmates
Warming-up
Discuss with your classmates: Are you more comfortable talking with boys or girls, why?
你认识他们吗？
nǐ rèn shi tā men ma
杰克 jié kè
马明 mǎ míng
安妮 ān nī
王小雨 wáng xiǎo yǔ
李大龙 lǐ dà lóng
他们是男生。
tā men shì nán shēng
她们是女生。
tā men shì nǚ shēng
1

6 哪 个 队 赢 了
nǎ ge duì yíng le
①

Warming-up

Interview your friends how often they watch sports and what kind of sports they like most. Supply more sports to this page according to your survey.

39

2. 课文导入

将与课文相关的语句以看图说话(拼音)的方式先介绍给学生，以引起学生关注。比如第六课“导入”(左图)：

3. 每课内容

以第六课为例，将每一课的基本内容安排介绍如下：

① 标题：提示本课重要句型；

② 课文：向教师和学生提供情景中的语言材料和相应的交际技能所包括的内容；

③ 注释：对课文中不易分析的语句用英语直接翻译给学生，以便学生通过母语直接习得；

Text 1

Ma Ming and Li Dalong have similar hobbies. At the moment they are talking about the result of a soccer match...

大 龙：马 明，昨 天 的 比 赛 怎 么 样？
dà lóng mǎ míng zuó tiān de bǐ sài zěn me yàng

马 明：什 么 比 赛？
mǎ míng shén me bǐ sài

大 龙：巴 西 队 跟 德 国 队 的 足 球 比 赛①。 ②
dà lóng bā xī duì gēn dé guó duì de zú qiú bǐ sài

马 明：不 错。
mǎ míng bú cuò

大 龙：哪 个 队 赢 了？
dà lóng nǎ ge duì yíng le

马 明：巴 西 队 赢 了。你 没 看 吗？
mǎ míng bā xī duì yíng le nǐ méi kàn ma

大 龙：没 有。昨 天 我 没 时 间。
dà lóng méi yǒu zuó tiān wǒ méi shí jiān

③

① A soccer match between Brazil and Germany.

40

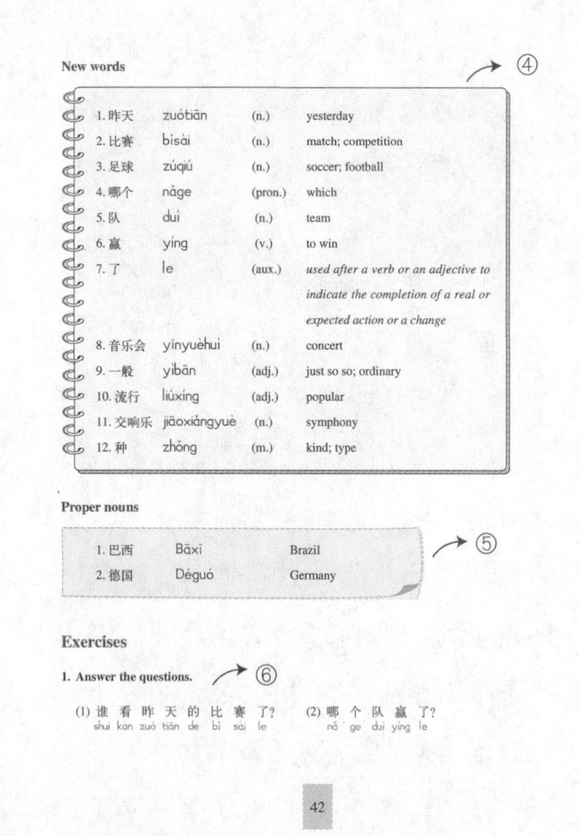

New words ④

1. 昨天	zuótiān	(n.)	yesterday
2. 比赛	bǐsài	(n.)	match; competition
3. 足球	zúqiú	(n.)	soccer; football
4. 哪个	nǎge	(pron.)	which
5. 队	duì	(n.)	team
6. 赢	yíng	(v.)	to win
7. 了	le	(aux.)	*used after a verb or an adjective to indicate the completion of a real or expected action or a change*
8. 音乐会	yīnyuèhuì	(n.)	concert
9. 一般	yìbān	(adj.)	just so so; ordinary
10. 流行	liúxíng	(adj.)	popular
11. 交响乐	jiāoxiǎngyuè	(n.)	symphony
12. 种	zhǒng	(m.)	kind; type

Proper nouns ⑤

1. 巴西	Bāxī	Brazil
2. 德国	Déguó	Germany

Exercises

1. Answer the questions. ⑥

(1) 谁 看 昨 天 的 比 赛 了？
shuí kàn zuó tiān de bǐ sài le

(2) 哪 个 队 赢 了？
nǎ ge duì yíng le

42

④ 新词语：包括本课应该学习和掌握的词汇和短语；

⑤ 专有名词：主要是人名、地名等；

⑥ 课堂练习：第二册的课堂练习形式主要有“根据课文回答问题”“根据课文判断对错”“大声读一读”“模仿例句造句子”“你来说一说”“会话练习”“看图说话”和“课堂活动”等。每个练习的目的和侧重点有所不同：

“根据课文回答问题”和“根据课文判断对错”目的是检查学生对课文的掌握情况，同时也复习课文内容。

“大声读一读”重复课文里的重要词语，或者以此为基础进行扩展，让学生们大声朗读以加深印象。

“模仿例句造句子”是针对重要语法点和句型进行练习。

“你来说一说”是让学生根据课文的内容谈谈自己以及当地的实际情况，激发学生们想说的欲望。

“会话练习”和“看图说话”目的是练习会话能力。“会话练习”给出完整的对话内容和替换词语，让学生在不断替换中巩固所学内容。“看图说话”没有给出完整的对话内容，只给出提示词语，有时甚至连提示词语也没有给，完全依靠同学们的想像。教师要鼓励学生们大胆想像，根据图画的内容，运用新学的词语完成一个故事。

“课堂活动”是我们把每一课的功能和语法综合起来设计的一项练习。可能是手工活动，也可能是采访、调查、讨论等。课堂活动是每课最后的总结性活动，目的是让学生们在动手操作以及实际的交际活动中充分练习和运用所学的各种语言技能。教师要积极参与学生的活动，及时给学生们反馈和鼓励，把活动推向高潮。

除了上述比较固定的练习形式外，还根据每课的需要设计了“匹配”“看图说句子”等比较灵活的形式。

⑦ 听力理解与语音实践

语音部分包括听力练习、辨音练习和朗读练习。听力练习的内容与课文内容相关，它的目的是从语言输入的角度帮助学生预习或复习这一课应当学习的内容。辨音练习的内容和课文内容不太一样，它的目的是帮助学生提高听力水平。这个部分的内容注重的是趣味性，但生词会超出学生用书词汇的范围。我们已经把所听内容翻译了出来，并配有图画，但还需要教师对个别词汇加以解释，引导学生听清楚语音。朗读练习则是为了帮助学生提高口语的流利程度和发音的准确性。

“听力理解与语音实践”安排在每一课结尾处，以便教师单用一节课进行教学。

⑧ 学汉字

引导学生写出已经学过的有相同部件的汉字。

五　课文的故事情节

1. 课文安排一定的故事情节来帮助学生熟悉一定语境下的话语。故事围绕一群中学生——主要是马明、杰克、安妮、李大龙和王小雨等人的日常生活展开，介绍这一年龄段的中学生日常交际活动所需汉语的各个方面。

2. 故事中的人物相对固定，便于学生迅速掌握上下文和语境。

3. 故事以北美主要大城市为生活背景。

六　关于注音——课文中拼音与汉字的编排方式

课文采用拼音与汉字相对照的编排方式，拼音在下，汉字在上，拼音用浅色，汉字用深色，以突出汉字的视觉效果，也便于教师和学生同时阅读，并让学生逐渐熟悉汉字。

七　教学内容的重现与复习

每一单元的最后一课安排一定的复习内容，主要有：

1. 阅读——主要用叙述文体复现本单元的词语和句型，培养学生的阅读能力；

2. 练习——让学生通过活动复习并掌握本单元的内容；

3. 语法总结——用表格形式归纳出本单元所学的主要语法点。

八　第二册“导入”

1. 全书的“文化导入”

(1) 目的：承接第一册，帮助学生继续了解中国的不同方面，通过了解中国进一步熟悉汉语的文化背景。

(2) 内容：介绍中国的民族分布；让学生通过动手制作皮影了解中国传统文化。

2. 每单元和每课的“导入”

(1) 单元“导入”

目的：用这一单元课文中的主要句式帮助学生了解本单元将要学习的内容，通过活动消除学生对课文的陌生感，引起学生的学习兴趣。

内容：这一单元的主要内容。

(2) 课文“导入”

目的：帮助学生“预热”，熟悉将要学习的词语和课文的主要内容。在培养学习兴趣的同时，对程度高出课文水平的学生可以进一步扩大词汇量，对程度与课文水平相当的学生则可以利用“导入”中的词汇提高使用句型的能力，最终达到提高交际能力的目的。

内容：与这一课内容相关的词汇、句式。

3.“导入”使用指南

(1) 全书的“文化导入”

分为两部分：讨论中国的民族分布和皮影戏的制作活动。

中国的各民族都有自己丰富多彩的民族服装，您可以引导学生根据课本上的图画了解不同民族的服饰，通过身着不同服饰的人了解他们属于哪个民族，根据民族分布的介绍了解他们大致住在哪个地区。

皮影戏的制作可以分两步，先通过课本的图片向学生介绍皮影，然后再引导学生自编剧本，并根据本书“参考资料”中的介绍自己动手制作。

(2) 单元“导入”和课文“导入”

让学生利用“导入”所给的翻译或插图理解语句的意思，并且利用拼音说一说这些句子和词语，引起学习兴趣。在了解该单元的意思以后，可以引导学生对内容进行讨论。鉴于这一阶段学生掌握的词语还很有限，可以引导他们用英语讨论，以增加对内容的印象，从而引入该单元或该课的学习。

4. 参考资料

(1) 中国的民族

中国是一个多民族国家，汉族人口最多，占全国总人口的90%以上，在全国各个地区都有汉族人居住。除汉族以外，中国还有55个少数民族，居住在中国的不同地区。下面分地区介绍：

东北和内蒙古地区居住着7个少数民族：满族、朝鲜族、赫哲族、蒙古族、达斡尔族、鄂温克族、鄂伦春族；

西北地区居住着14个少数民族：回族、东乡族、土族、撒拉族、保安族、裕固族、维吾尔族、哈萨克族、柯尔克孜族、锡伯族、塔吉克族、乌孜别克族、俄罗斯族、塔塔尔族；

西南地区居住着25个少数民族：藏族、门巴族、珞巴族、羌族、彝族、白族、哈尼族、傣族、傈僳族、佤族、拉祜族、纳西族、景颇族、布朗族、阿昌族、普米族、怒族、德昂族、独龙族、基诺族、苗族、布依族、侗族、水族、仡佬族；

中南地区居住着9个少数民族：壮族、瑶族、仫佬族、毛难族、京族、土家族、黎族、畲族、高山族。

(2) 关于皮影戏

皮影戏是中国出现最早的戏曲剧种之一。它是让观众通过白色布幕，观看一种平面偶人表演的灯影来达到艺术效果的戏剧形式。皮影戏中的平面偶人以及场面道具景物，通常是民间艺人用手工刀雕彩绘而成的皮制品，所以叫做皮影。

皮影的造型风格十分独特。关于人物造型，有以下四个方面的特征：

一是人物造型平面化。人物的设计，一般都采用侧身五分脸或七分脸的平面形象。

二是人物造型艺术化。皮影人物的设计采取抽象与写实相结合的手法，人物的装束与面容神韵生动形象、夸张幽默、诙谐浪漫。

三是人物造型卡通化。皮影人物一般由头、上身、下身、两腿、两上臂、两下臂和两手十一件连缀组成，经人操纵能做机械性动态表演。人体比例通常是上身与双臂偏长，以利表演效果。

四是人物造型戏曲化。皮影人物的造型，是按戏曲生、旦、净、丑不同行当的模式进行设计的。各行当脸谱和行头的程式化造型，源于舞台戏剧而又超越舞台戏剧。

① 皮影人的制作

皮影戏中的影人一般是用牛皮或驴皮制作的，对于学生来说，用硬纸板更为方便可行。

制作皮影人可以分为以下几个步骤：

a. 先用铅笔在硬纸板上描出影人的分解图样。影人一般分头、脖领、上身、下身、两腿、两上臂、两下臂、两手11个部件。

b. 将画好的图样剪割成块。

c. 着色。一般使用红、黄、黑、青、绿五种纯色。

d. 用针线将各部件连缀起来。

e. 用领条围在影人上身的脖领处，用针线订上脖签，给两手订上手签，插上影人头。

这样影人就做好了。

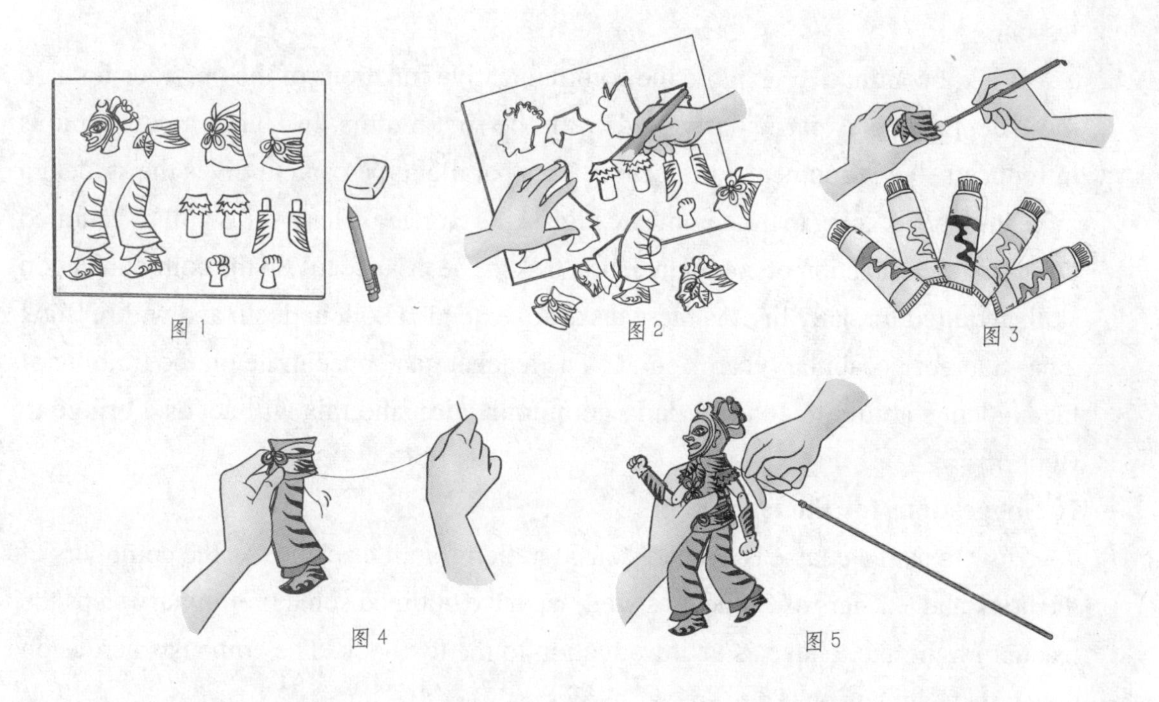

图1　图2　图3　图4　图5

② 影人的操作

皮影人的脖领处有一根支撑整个影人的操纵杆，叫脖签。在皮影人的两只手上还各有一根操纵杆，叫手签。操作皮影时，一只手握脖签，另一只手掌握两根手签，将影人贴近幕布。

影人行走时，操作者一只手掌握脖签和一根手签，这根手签在影人行走时基本上不摆动或摆动很小，而用另一只手中的手签操纵影人的一只手臂摆动，这样就可以表现出影人行走的效果。

Instructions to the Student's Book 2 of *Learn Chinese with Me*

I. The framework of the Student's Book

In *Learn Chinese with Me*, Student's Book 2, there are 6 units, each of which contains 5 lessons, thus 30 lessons in total. The last lesson of every unit is a revision lesson.

Book 2 continues to explore the communicative functions of the previous book in more depth. This is particularly evident in the first 5 units. In Unit 6 a new topic is introduced — environmental protection. This parallel type content gives the student a more in-depth training in the communication skills targeted. These skills will be acquired through the completion of communication tasks. The tasks focus on the communication skills required for daily life. As these tasks are extended both in depth and width, Book 2 has a larger vocabulary than Book 1. The teacher can concentrate on the training of the student's ability to conduct daily communication and this will act as a bridge to Book 3.

II. Suggestions for the teacher

How to start a course is a major consideration for all teachers. As the compliers of the book and teachers of Chinese as well, we have outlined some preliminary steps the teacher might like to take as an introduction to the textbook. The emphasis here is on the cultural dimension. They are as follows.

1. Show the students a map of China and tell them about the diversity of different ethnic groups in China. This can be based on the knowledge of geography, population, dialects and products etc, which has been discussed during their study of Book 1.

2. Teach the students how to make shadow puppets and encourage them to write short dramas.

3. Lead in the teaching of Chinese and start the first lesson.

Students can look for relevant materials and have discussions on the topics concerned.

III. The components of the Student's Book

In addition to these preliminary steps to the entire book, each unit also has a "Warming-up" section. This helps the students to be familiar with the topics and tasks they will encounter in the unit and may take the form of such activities as discussions, surveys etc.

The components of the first 4 lessons in each unit in the Student's Book are as follows:

1. Warming-up
2. Text 1
3. Notes to Text 1
4. Text 2
5. Notes to Text 2
6. New words and expressions
7. Class exercises
8. Listening comprehension and phonetic practice
9. Chinese characters

The 5th lesson in each unit is a revision lesson. It's content is as follows:

1. Warming-up
2. Texts 1 &2 written mainly in narrative form containing the key language points in that unit
3. New words and expressions
4. Class exercises
5. Reading (strengthened from unit 2 on)
6. Writing (strengthened from unit 2 on)
7. Read aloud
8. A song
9. Grammar and functions

IV. Illustration of the content

1. Unit Warming-up

The unit "Warming-up" section will gradually introduce the students to the unit via class activities and simple questions to be answered in Chinese. This section will also provide students with some relevant words and expressions. The objective is to warm the students up, familiarize them with the words (including *pinyin*) they will encounter, and the main content in the texts so as to foster their interest. The "Warming-up" section of Unit 1 can be referred to as an example.

Unit One

Jack and His Classmates

Warming-up

Discuss with your classmates: Are you more comfortable talking with boys or girls, why?

1

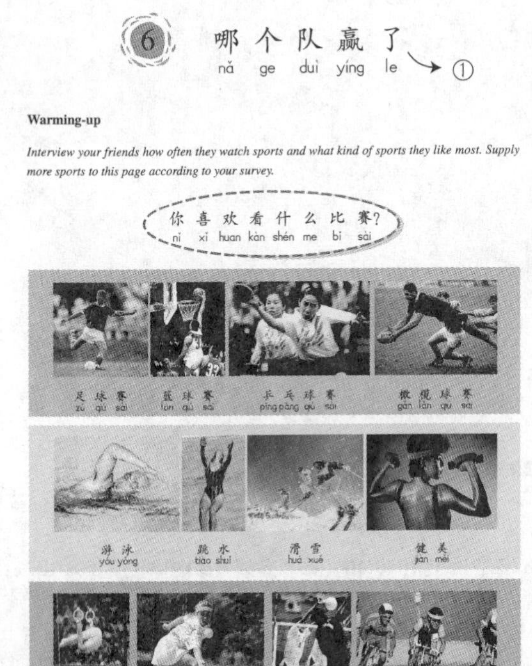
6 哪个队赢了 ①
nǎ ge duì yíng le

Warming-up

Interview your friends how often they watch sports and what kind of sports they like most. Supply more sports to this page according to your survey.

39

2. Lesson "Warming-up"

The lesson "Warming-up" section will introduce the students to the words and sentences related to the texts via "look and say"(presented in *pinyin*) so as to arouse their interest. The "Warming-up" of lesson 6 can be referred to as an example.

3. Lesson content

The following is an outline of Lesson 6. We have presented it here to illustrate the basic arrangement of each lesson.

① The title: to indicate the key sentence pattern in this lesson.

② Texts: to provide both the teacher and the students the language material and related communicative skills in a real situation.

③ Notes: to provide the students with sentences that are difficult to analyze and thus have

Text 1

Ma Ming and Li Dalong have similar hobbies. At the moment they are talking about the result of a soccer match...

大龙：马明，昨天的比赛怎么样？
dà lóng mǎ míng zuó tiān de bǐ sài zěn me yàng

马明：什么比赛？
mǎ míng shén me bǐ sài

大龙：巴西队跟德国队的足球比赛[①]。 ②
dà lóng bā xī duì gēn dé guó duì de zú qiú bǐ sài

马明：不错。
mǎ míng bú cuò

大龙：哪个队赢了？
dà lóng nǎ ge duì yíng le

马明：巴西队赢了。你没看吗？
mǎ míng bā xī duì yíng le nǐ méi kàn ma

大龙：没有。昨天我没时间。
dà lóng méi yǒu zuó tiān wǒ méi shí jiān

③

① A soccer match between Brazil and Germany.

40

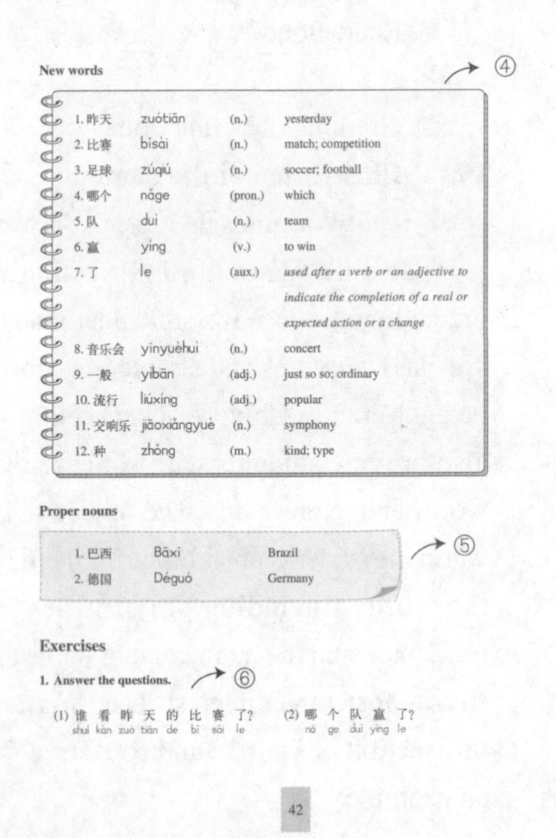
New words ④

1. 昨天	zuótiān	(n.)	yesterday
2. 比赛	bǐsài	(n.)	match; competition
3. 足球	zúqiú	(n.)	soccer; football
4. 哪个	nǎge	(pron.)	which
5. 队	duì	(n.)	team
6. 赢	yíng	(v.)	to win
7. 了	le	(aux.)	*used after a verb or an adjective to indicate the completion of a real or expected action or a change*
8. 音乐会	yīnyuèhuì	(n.)	concert
9. 一般	yībān	(adj.)	just so so; ordinary
10. 流行	liúxíng	(adj.)	popular
11. 交响乐	jiāoxiǎngyuè	(n.)	symphony
12. 种	zhǒng	(m.)	kind; type

Proper nouns ⑤

1. 巴西	Bāxī	Brazil
2. 德国	Déguó	Germany

Exercises

1. Answer the questions. ⑥

(1) 谁看昨天的比赛了？
shuí kàn zuó tiān de bǐ sài le

(2) 哪个队赢了？
nǎ ge duì yíng le

42

been translated into English.

④ New words and expressions: include the key words and phrases that should be learned and mastered by the students in that lesson.

⑤ Proper nouns: They are mainly names of individuals, places etc.

⑥ Class exercises

The forms of exercises in Book 2 include "Answer questions according to the text", "True or false", "Read aloud", "Make up sentences as per example", "Give your own answers", "Conversation practice", "Picture description (Look and say)" and "Class activity". The objective and emphasis of each exercise vary accordingly.

"Answer questions according to the texts" and "True or false" aim at checking how well the students have grasped the main ideas of the texts. Meanwhile they offer a revision of the content in the texts.

"Read aloud" is to brush up the key words and expressions in the texts or to provide an extended vocabulary based on the texts so that the students can have a deeper impression.

"Make up sentences as per example" is designed as a drill on key language points and sentence patterns.

"Give your own answers" encourages the students to use what they have learned in the text to talk about themselves, their locality etc.

"Conversation practice" and "Picture description (Look and say)" aim at equipping the students with the ability to conduct a conversation. In "Conversation practice", a complete conversation framework and words for substitution are given so that what the students have learned can be consolidated during the process of constant substitution. Whereas in "Picture description (Look and say)", only some key words instead of a complete conversation framework are provided, and sometimes there are even no such words; therefore the completion of a conversation solely depends on the students' creativity. The teacher needs to encourage the students to use their own imaginations, the given pictures and the new vocabulary to fashion out a story.

"Class activity" is a type of exercise that combines the functional usages and grammar in each lesson. It can take the form of craftwork, an interview, a survey or a discussion etc. It is to be done at the end of each lesson so that the students are able to put into practical use the various language skills they have learned. The teacher will take an active part in the students' activity and give them feedback and encouragement.

Besides the fixed exercise forms mentioned above, such flexible forms as

"Matching" and "Picture-based sentence making" are also provided according to the different needs of each lesson.

⑦ "Listening comprehension and phonetic practice"

Phonetics includes listening, sound discrimination and reading aloud. The content in this section is related to the texts and it aims at helping the students to preview or review what they are supposed to learn in that lesson via language input. The content in sound discrimination is a bit different from the texts, and its objective is to improve the students' listening ability. It attaches importance to fun, although some of the new words are more difficult than the level of the text. English translation of such words has been provided, so have some pictures, but the teacher still needs to offer explanations on some particular words, and guide the students to master the pronunciation. Reading aloud can help the students to improve their speaking fluency and accuracy.

Listening comprehension and phonetic practice are placed at the end of each lesson so that the teacher can use them at a separated class hour.

⑧ Learn to write

Guide the students to write out more Chinese characters with the same components they have learned.

V. The text plots

1. A certain plot is provided in the text to help the students to familiarize themselves with the conversation in certain situations. The stories develop with the daily lives of a group of high school students — the main characters are Ma Ming, Jack, Annie, Li Dalong and Wang Xiaoyu. It introduces the Chinese language skills needed for communicating in various aspects of a high school student's life.

2. The same characters are used throughout the stories to maintain continuity.

3. These stories are based in major cities in North America.

VI. About *Pinyin* — the arrangement of *Pinyin* and characters

Both characters and *Pinyin* are provided in the texts with *Pinyin* (in light color) beneath the characters (in dark color) to highlight the characters and for the convenience of the teacher and students when reading the texts. This arrangement can also help the students to familiarize themselves with characters.

VII. Cycles and revision of teaching points

Revision is arranged in the last lesson of each unit. The main content is as follows:

1. Reading: the words, expressions and sentence patterns of that unit are represented in a narrative text to enhance the student's reading abilities.

2. Exercises: to enable students to master the content of that unit via class activities.

3. Grammar summary: the key grammar points in that unit are summarized and presented in tables.

VIII. The preliminary activities in Book 2

1. The preliminary steps to the entire book, emphasizing the cultural dimension.

① Objective: as a continuity of Book 1, it helps the students to further learn about the different aspects of China and be familiar with the cultural background of the Chinese language.

② Content: to teach the geographical distribution of Chinese ethnic groups; to enable the students to learn about Chinese traditional culture through a hands-on approach, such as making shadow puppets.

2. The preliminary steps ("Warming-up") to each unit and lesson.

① Unit Lead-in ("Warming-up")

Objective: by presenting the major sentence patterns in that unit and organizing class activities to help students familiarize with the main content to be learned thereby stimulating interest in the unit.

Content: the key points in that unit.

② Lesson Lead-in ("Warming-up")

Objective: to help the students "warm up" and familiarize with the vocabulary and main content to be learned in that lesson; to expand the vocabulary of students whose Chinese level might be a little bit higher than that of the texts while fostering their interest; to enhance the abilities of students whose Chinese level is in parallel with the texts; to apply sentence patterns via employing the vocabulary in the "lead-in". The ultimate goal is to improve the students' communicative abilities.

Content: words, expressions and sentence patterns related to the texts.

3. How to use these preliminary activities.

① The cultural lead-in to the entire book falls into two parts: discussion on the geographical distribution of Chinese ethnic groups and the activity of making shadow puppets.

Each Chinese ethnic group has its own colorful national costumes. The teacher can, with the help of the pictures in the textbook, guide the students to learn about the characteristics of each ethnic groups costumes, and to distinguish which group the people in certain costume belong to, and to know which area they approximately live by referring to the distribution of ethnic groups map.

The making of shadow puppets can follow two steps. First, introduce to the students the shadow puppet play with the help of the pictures in the textbook. Next, guide the students to write a play and make their own shadow puppets by following the instructions in the reference material offered below.

② The preliminary steps to each unit and lesson are designed to enable the students to understand the meanings of the words and expressions with the help of English translation and to arouse their interest by requiring them to present orally some expressions and sentences in *Pinyin*. After having made clear to the students what they are required to master, the teacher can guide the students to hold discussions over the content. In view of the students' limited Chinese vocabulary at this stage, the teacher may allow the students to have such discussions in English so that they can have a better understanding of the content and then lead them into the study of that unit or lesson.

4. Reference materials.

① Chinese ethnic groups

China is a country that is made up of many nationalities, of which the Han are the major group accounting for over 90% of China's total population. The Han are dispersed throughout the entire country. Besides the Han, there are also 55 minority groups, and they, too, live in different parts of China. The following is a breakdown of the geographical distribution of China's ethnic groups.

The 7 minority groups living in Inner Mongolia and Northeast of China are Manchu, Korean, Hezhen, Mongol, Daur, Ewinki and Oroqen.

The 14 minority groups living in the Northwest part of China are Hui, Dongxiang, Tu, Salar, Baoan, Yugur, Uygúr, Kazak, Kirgiz, Xibe, Tajik, Uzbek, Russian and Tatar.

There are 25 minority groups living in the Southwest part of China. They are Tibetan, Monba, Lhoba, Qiang, Yi, Bai, Hani, Dai, Lisu, Va, Lahu, Naxi, Jingpo, Blang, Achang, Primi, Nu, Deang, Derung, Jino, Miao, Bouyei, Dong, Shui and Gelo.

There are 9 minority groups living in the midsouth area of China. They are Zhuang, Yao, Mulam, Maonan, Jing, Tujia, Li, She and Gaoshan.

② Leather silhouette show

The leather silhouette show is one of the earliest opera forms that appeared in China. In the show, the audience watches the moving shadows of the puppets cast by light onto a screen of white cloth. The plane puppets and sets in the show are generally leather products, carved and painted by craftsmen. They are thus called shadow puppets.

The styles and shapes of these puppets are extremely unique. They have the following 4 characteristics:

A. The plane form: the design of a puppet figure usually takes half or seven tenths of the face in plane silhouette.

B. The artistry: the design of puppet figures combines both abstraction and realism. Their costume and facial expressions are vivid, exaggerated, funny, jocular or romantic.

C. The anatomy: a puppet figure is usually made up of 11 parts, which are connected together. These 11 parts are a head, the upper part of the body, the part from the waist to the bottom, two legs, two upper arms, two lower arms and two hands. The puppet can perform many kinds of mechanical actions and for maximum affect the upper part of the body and the two arms are generally elongated.

D. The operatic elements: the design of puppet figures follows an operatic pattern, i.e., there are four types of characters, male leads, female leads, characters with facial make-up, and clowns. Although originating from stage performance, the stylized facial make-up and costumes for various trades have already exceeded those of opera.

1. How to make a human shadow puppet.

Usually the human shadow puppet is made of ox hide or donkey hide. For students, cardboard is more convenient and also suitable.

The procedure of making a shadow puppet is as follows.

a. Draw on the hardboard the separated parts of the puppet with a pencil. These parts usually include a head, a neck, the upper body, the part from waist to bottom, two legs, two upper arms, two lower arms and two hands.

b. Cut out the body parts.

c. Color the parts. Usually five pure colors, red, yellow, black, blue and green are used.

d. Connect the parts with needle and thread.

e. Attach a scarf, sew on the tiny stick for the neck and the tiny sticks for the two hands, and put on the head.

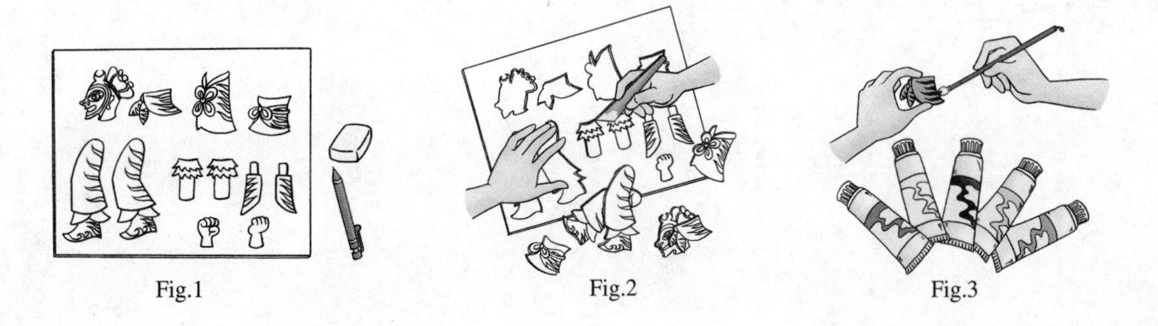

Fig.1 Fig.2 Fig.3

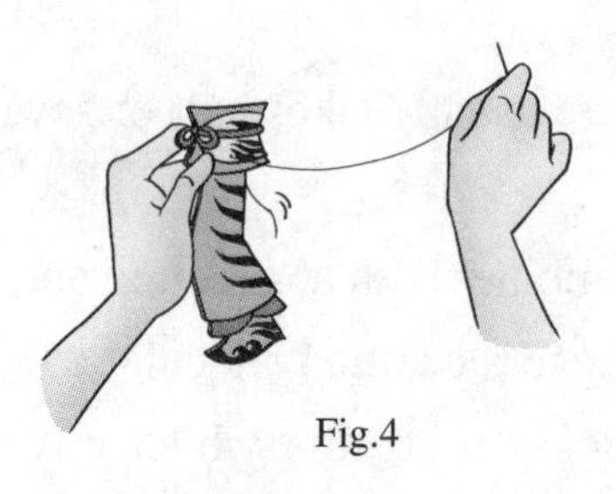

Fig.4

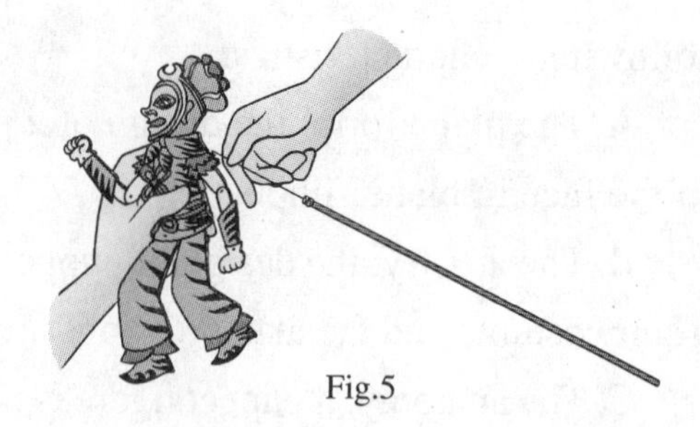

Fig.5

2. How to operate the puppet.

There is a puppet-holder on the neck called a neckstick, which is used to support and operate the whole puppet. The holder on each hand of the puppet is called a handstick. When operating the puppet, hold the neckstick in one hand, and the two handsticks in the other and try to move the puppet close to the white screen.

When making the puppet walk, hold the neckstick and one handstick (which does not move or just moves slightly) in one hand, hold the other handstick in the other hand and make it sway to and fro. Thus a walking effect is produced.

关于汉语工具书的使用

字典和词典是学习汉语的重要工具。学会查字典对于学习汉语的人，特别是对以英语为母语的人来说是十分必要的。

现代汉语的字典、词典大多是按照音序排列的。一般来说，最常用的查阅字典的方法有两种，一是部首查字法，一是音序查字法。我们以《现代汉语词典》（商务印书馆1996年7月版）为例，对这两种查字方法作简单的介绍。

一　部首查字法

部首查字法是依据汉字的字形进行的，因此对于不认识的字，这种查字方法最有用。《现代汉语词典》的前边有“部首检字表”，包括“部首目录”“检字表”“难检字笔画索引”三个部分。检字表采用的部首共189个，部首次序按照部首笔画数目的多少排列。笔画数相同的，按书写时的第一笔，就是：一（横）、丨（直）、丿（撇）、丶（点）、→（折）的顺序排列。同一部的字按除去部首笔画以外的笔画数排列。笔画数相同的，按一（横）、丨（直）、丿（撇）、丶（点）、→（折）的顺序排列。

以查“请”字为例：“请”字的部首是“讠”，两画，第一笔是“丶”，我们先在“部首目录”的“二画”中找到这个部首。“讠”右边的号码是19，这是指“讠”部的字在检字表中的页码。我们找到检字表第19页“讠”部。“请”字共有十画，除去部首的两画，“青”是八画。我们在“讠”部的“八画”中找到了这个字，它右边的号码1036就是“请”字在词典正文中的页码。我们在词典正文第1036页找到了这个字，读音是qǐng。

有些字的部首分不清楚，“部首检字表”中按第一笔的笔形，收在一、丨、丿、丶、乙五个单笔部首中。例如“九”字，第一笔是“丿”，我们在检字表15页“丿”部的“一至二画”中找到了。另外“检字表”后还有“难检字笔画索引”，对于分不清部首的字，可以按照笔画数检索。例如“成”字，笔画数是6，我们在“难检字笔画索引”的“六画”中找到了，右边的号码157是这个字在词典正文中的页码。

二　音序查字法

《现代汉语词典》的正文是按音节的顺序排列的。在词典的前边有一个“音节表”，每一个音节的右边都有一个号码，就是这个音节在词典正文中的页码。例如我们要查“马”这个字，拼音是mǎ，从这个“音节表”中我们查到mǎ这个音节在正文842页，这样我们就在842页找到“马”这个字了。

同一音节的字往往很多，它们是按照笔画数由少到多的顺序排列的。“马”字在同音节的汉字中笔画数最少，被排在第一个。在知道读音的前提下，使用音序查字法是比较方便、快捷的。

除了《现代汉语词典》外，常用的字典还有《新华字典》，在使用方法上与《现代汉语词典》基本相同。

How to Use a Chinese Dictionary

Dictionaries are important learning tools for Chinese learning. Getting to know how to use a Chinese dictionary is of absolute necessity for Chinese-learners, especially for those whose mother tongue is English.

Dictionaries for modern Chinese are mostly arranged in a phonetic order. Generally speaking, there are two common ways for locating a Chinese character or a word in the dictionary. One is the radical method, and the other is the phonetic method. Let's take an example of the *Contemporary Chinese Dictionary* (published by the Commercial Press, July 1996) to illustrate how to use the two methods to look up a Chinese character.

I. The radical method

The radical method is based on the structures of Chinese characters, so it is the most effective method for characters or words whose pronunciation is unknown. The Radicals Guide to Entries in the beginning part of the *Contemporary Chinese Dictionary* is composed of three parts: Contents of Radicals, Radicals Guide and Index of Characters with Radicals Difficult to Classify. There are altogether 189 radicals in the Radicals Guide, listed from fewer to more strokes. If the radicals are of the same number of strokes, then the first stroke counts, i.e. they follow an order "一" (the horizontal line) first, "丨" (the vertical line) second, "丿" (the left-falling stroke) third, "丶" (dot) fourth, and "→" (the horizontal line with a bending tip or with an extended bending stroke) last. Characters of the same radical are arranged in an ascending order according to the number of strokes of their other parts (excluding the radical). If the remaining parts are of the same number of strokes, then the characters are arranged in the sequence of the beginning stoke of those parts: "一" (the horizontal line) first, "丨" (the vertical line) second, "丿" (the left-falling stroke) third, "丶" (dot) fourth, and "→" (the horizontal line with a bending tip or with an extended bending stroke) last.

Taking "请" as an example, the process is as follows. The radical of "请" is

“讠”, which has two strokes, the first stroke is “丶”. First find this radical under the headline of “2 strokes” (“二画”) in the Contents of Radicals. The number to the right of “讠”is 19, which indicates the page number of “讠” in the Radical Guide. Let's find the “讠” on page 19 in the Radical Guide. There are altogether 10 strokes in “请”; in addition to the 2 strokes of the radical “讠”, there are 8 strokes in “青”. Now find the “请” under the headline of “8 strokes”(“八画”) in the “讠” category. The number 1036 to the right of “请”is the page number in the main body of the dictionary. We locate this character on page 1036 in the dictionary proper and it reads as “qǐng”.

Characters that do not have separable radicals are listed in the Radicals Guide to Entries under the five single-stroke radicals of 一, 丨, 丿, 丶 and 乙 according to their beginning strokes. For instance, the character “九”, with a beginning stroke of “丿”, can be located on page 15 under the headline of “1-2 Strokes”(“一至二画”) in the “丿” category in the Radical Guide. In addition, an Index of Characters with Radicals Difficult to Classify is provided at the back of Radicals Guide for the reference of characters with inseparable radicals. In this case, the character can be found by the number of its strokes. For example, the character “成”, with 6 strokes, can be located under the headline of “6 strokes” (“六画”) in Index of Characters with Radicals Difficult to Classify , and the number 157 to the right of “成”is just its page number in the main body of the dictionary.

II. The phonetic method

The main body of the *Contemporary Chinese Dictionary* is arranged in alphabetical order according to the pronunciation of characters or words. There is a Phonetic Guide in the beginning part of the dictionary; the number that appears to the right of each syllable indicates the page number of that syllable in the dictionary proper. For example, if we want to look up “马”, whose *pinyin* is “mǎ”, then we should first locate “mǎ” in the Phonetic Guide , and we can see 842 to the right of this syllable, which indicates the page number of it in the main body of the dictionary. Thus, we can find “马” on that page.

Many Chinese characters share a same syllable, and such characters are listed in an order of from fewer to more strokes. “马” has the fewest strokes of all the characters with the same syllable, so it is placed at the beginning. It would be more convenient and rapid to find the character if its pronunciation were already known.

Besides the *Contemporary Chinese Dictionary*, *Xinhua Dictionary* is another commonly used one. In terms of using method, there is basically no difference between the two.

第一单元　杰克和他的同学们

单元介绍

这个单元一共有5课，主要目的是帮助学生学会在学校等交际场合主动向别人介绍自己或者介绍他人互相认识，并掌握用汉语进行简单的与上学、课程、学习用具以及学校环境等话题相关的谈话技能。

上承第一册，本单元从第一册的人物之一——杰克来到新的学校进入班级开始。课文内容围绕杰克和他的新伙伴马明、安妮、李大龙和王小雨等同学的课堂活动和业余生活展开故事，通过故事情节所提供的不同生活场景，向学习者介绍汉语日常用语和相关的文化知识。

1 我来介绍一下

一、教学目的

1. 学习向别人表示欢迎、自我介绍与介绍他人；

2. 了解基本打招呼用语“你好”以外的打招呼用语“你早”等；

3. 了解“这是……”句式既可以指物，也可以指人，用于介绍。

二、教学内容

1. 交际功能：(1) 表示欢迎

(2) 自我介绍与介绍他人

2. 语言要点：(1) 介绍互不相识的双方认识常用句子“我来介绍一下”

(2) “这是……”用于介绍人们认识

3. 语音教学：(1) 听力练习（录音文本见本课“参考资料”）

(2) 辨音练习——变调（录音文本见本课“参考资料”）

(3) 朗读练习（文本见本课“参考资料”）

4. 汉字教学：继续学习认字、写字

三、教学建议

1. 课堂训练策略

(1) 关于练习

“根据课文判断对错”的目的是检查学生对课文的掌握情况和复习课文，因此做这个练习之前，教师最好先让学生复习一下课文，以小组形式讨论一下要回答的问题。先请中等水平的学生回答，他们一时回答不出来时，不要急于换人回答或者告诉他们正确答案，而是启发他们再看看课文，和同伴们讨论一下，自己找到答案。

“会话练习”除了课本中提供的替换词语外，教师可以根据实际需要和本班情况再增加一些词语进行替换练习。

(2) 关于课堂活动

可以鼓励学生在卡片上画一些画儿，或者写一些介绍自己、表示欢迎的话。

2. 语音训练策略

关于“辨音练习”。“辨音练习”的目的是帮助学生提高听力水平。这个部分的内容注重趣味性，但生词会超出学生用书词汇的范围。我们已经把所听内容翻译了出来，并配有图画，但还需要教师对个别词汇加以解释，引导学生听清楚语音。

四、参考资料

1. 课文注释与语法说明

(1) 请问这里是十年级二班吗？

“请问”是敬词，用于请求对方回答问题。例如：

请问，去电影院怎么走？

“这里”是称代处所的指示代词，在句子中作主语。

(2) 我来介绍一下。

我们在第一册中接触过这样的句子：我来看电影。动词短语“看电影”是动词“来”的目的。这个“来”表示实在的意义，即“来去”的“来”，它的后面可以根据需要插入名词或指示代词作宾语，如“我来这儿看电影”。

课文中的句子“我来介绍一下”也有“来”字，但这个“来”并不表示“来去”的“来”的意义，而是表示有做某事的意愿，在句中有缓和语气的作用。去掉“来”，句子的意思不变。再看两个句子：

别着急，我来帮你。

我来给大家唱一首歌。

这种意义上的“来”一般不带宾语。

“介绍一下”是动词加补语的结构。“一下”用在动词后，表示动作比较轻松、随意。

关于这个句子的语法结构，教师不必详细地向学生讲解，重要的是让学生了解这个句子的交际功能。

(3) 这是杰克。

“这是……”可以用来说明事物，比如说“这是桌子”“这是饺子”等等；也可以用来介绍人们认识，课文中的句子“这是杰克”就是如此。如果在比较正式的场合，介绍人们认识的时候说“他是……”就不太礼貌，更为正式、礼貌的说法是“这位是……”。

2. 语音教学

(1) 关于词语的拼读

“你早”是两个第三声连读，根据变调规则，“你”改读第二声；“请问”“马明”“很高兴”等是第三声和非第三声连读，根据变调规则，“请”“马”“很”等都改读半三声，请注意引导学生复习已学的变调规则(关于变调规则可参见第一册教师用书的“汉语拼音方案”)。

(2) “听力练习”录音文本

老　师：我来介绍一下，这是新同学Eric。

女　生：你好，我叫Fiona。欢迎你！

男生甲：你好，我叫Tom。欢迎你来我们班！

男生乙：你们好，很高兴认识你们。

问题：① 谁是新同学?

② Tom说什么?

③ 最后一个人说什么?

(3) “辨音练习”录音文本

①早晨起床　②洗冷水澡　③马上考试

④参观展览　⑤看舞蹈　⑥采访演员

(4) “朗读练习”汉字文本

关关雎鸠，在河之洲。

窈窕淑女，君子好逑。

《关雎》是中国古代第一部诗集《诗经》中的一首情诗。“关关”是鸟的叫声，水鸟在河中的沙洲上鸣叫应和，让人联想到那美丽温柔的姑娘是君子的理想配偶。“逑”的意思是“配偶”。

3. 汉字教学：部件介绍

青——“请”字的声符。以“青”为声符的字还有“清”“情”“晴”“蜻”“睛”等，这些字的现代读音也不完全相同：青（qīng）、请（qǐng）、清（qīng）、情(qíng)、晴(qíng)、蜻（qīng）、睛（jīng）。

只——“识”字的声符。“只”与“识”都是简化字，“只”对应两个繁体字：“衹”和“隻”。“识”的繁体字写作“識”，简化后“识”以“只”为声符。以“只”为声符的字还有“织”“职”“帜”“枳”等，这些字的现代读音也不完全相同：只（zhǐ、zhī)、识（shí、zhì)、织（zhī)、职（zhí)、帜（zhì)、枳（zhǐ)。

宀——“安”字的意符，俗称“宝盖头”。“宀”的本义是大屋子，按照传统汉字理论，“安”是会意字，本义是安定。以“宀”为意符的字多与房屋有关，如“室”“完”“定”“家”“宇”等。

及——“级”字的声符。以“及”为声符的字还有“极”“汲”“笈”等。这些字的读音与“及”完全相同。作为部件，在书写时应该比单独的字瘦窄一些。

4. 文化

中国的学校

中国的学校教育一般分为小学、中学和大学等几个阶段，小学学习六年，中学分为初中和高中两个阶段，各学习三年。小学和初中的九年教育是义务教育，而高中和大学阶段的教育则是非义务教育。目前在中国，大部分学校都是由政府投资开办的公立学校。改革开放以来，中国也开始出现了少量的私立小学、私立中学和私立大学，学费都比较贵，目前还只是少数孩子上得起这样的学校。

五、评估

每一课结束之后应该对学生的学习进行一定的测评，考查一下学生的掌握情况。第二册的学习测评仍然要分两个方面，一方面是语言技能的掌握情况，另一方面是学生的学习态度和学习兴趣。

成功的第二语言教学既要使学生掌握第二语言技能，还要保持学生对第二语言学习的兴趣。对学生兴趣的考查主要在于教师日常的观察，观察学生在学习过程中的表现，例如能不能积极回答问题，是否主动参与课堂活动等等。

在评估中，我们主要设计语言技能方面的评估项目。情绪、情感的评估由教师留意观察。

1. 写出下列词语的拼音。

介绍、年级

2. 把下面的汉语句子翻译成英语。

(1) 我是新来的学生。

(2) 我来介绍一下。

(3) 认识你们很高兴。

2 他们骑自行车上学

一、教学目的

1. 学习向不认识的人问路；

2. 学习表达出行方式。

二、教学内容

1. 交际功能：(1) 问路

(2) 表达出行方式

2. 语言要点：(1) 疑问代词“怎么”

(2) 连动句

3. 语音教学：(1) 听力练习（录音文本见本课“参考资料”）

(2) 辨音练习——轻声（录音文本见本课“参考资料”）

(3) 朗读练习（文本见本课“参考资料”）

4. 汉字教学：继续学习认字、写字

三、教学建议

课堂训练策略

(1) 关于练习

练习询问“这个字怎么读”“这个字怎么写”有两个目的：一是学会表达自己在学习中遇到的困难，学会寻求帮助。因为学习汉语时总会遇到不会读、不会写的汉字，学会询问“怎么写”“怎么读”是很有必要的。二是为查字典、查词典做准备。教师要适当地引出词典的作用，激发同学们学习查字典的欲望。

(2) 关于课堂活动

“你怎么上学”这一活动所需要的语言技能课本中已经提供，教师要注意提醒同学们用汉语进行采访和回答，如果最后能用汉语做出统计结果就更好了。

四、参考资料

1. 课文注释与语法说明

(1) 课文注释

① 一直往前走。

“往”是介词，表示动作的方向，如“往前看”“往左拐”。

“一直”是副词，它可以表示动作在空间上顺着一个方向不变，也可以表示动作在时间上持续不断或状态持续不变。例如：

一直往西走，就看见商场了。

他一直在玩电脑。

她一直很健康。

我一直在这所学校工作。

② 他怎么去学校？

“怎么”是疑问代词，用在动词前，用来询问动作、行为的方式。例如：

这个字怎么发音？

你怎么练习听力？

去商场怎么走？

③ 他们每天一起骑自行车上学。

在这个句子里，“一起”是副词，用在动词前作状语，表示一同做某事。

(2) 语法说明：连动句

在本教材的第一册，我们接触过这样的连动句：

我去山区度暑假。

这种连动句的后一个动词所表示的动作是前一个动词所表示的动作的目的。在这一课，我们又接触到这样的连动句：

他们骑自行车上学。

在这个句子里，“骑自行车”和“上学”是两个动词短语，“骑自行车”是“上学”的方式。这种类型的连动句的特点是：前一个动词（或动词短语）所表示的动作是后一个动词（或动词短语）所表示的动作的方式。再看几个句子：

我坐飞机去上海。

他用筷子吃饭。

杰克坐火车去旅行。

2. 语音教学

(1) 关于词语的拼读

“怎么”一词中，“么”是轻声，请注意引导学生复习已经学过的“轻声”的规则（关于“轻声”的详细资料请参看第一册教师用书的“汉语拼音方案”）。

(2) “听力练习”录音文本

男生：早上好，Fiona。

女生：早上好，Eric。你也骑自行车上学吗？

男生：是啊，Ellen 怎么去学校？

女生：她和 Tom 一起坐车上学。

男生：Ellen 和 Tom 是邻居吗？

女生：不是，Ellen 住在另一条街上。

问题：① 谁骑自行车上学？

② Tom 怎么去学校？

③ Fiona 和 Tom 是邻居吗？

(3) “辨音练习”录音文本

①谢谢你！ ②这是谁的绳子？ ③这样做行吗？ ④三个姑娘。

⑤他住在这条街上。

(4) “朗读练习”汉字文本

我姓吴，叫吴速。我的年龄 25，工作就在俱乐部。会跳舞，会打鼓，而且还会拉二胡。拉的是“天鹅湖”，唱的是“乡间小路”。

这是一段快板书。快板书是中国的一种民间说唱艺术，说的时候可以依节奏打拍子，这样更有趣。

3. 汉字教学：部件介绍

良——“朗”字的声符。“良”与“朗”的现代读音有些差异，但在古代它们的读音是相同的，这是由古今音变造成的。以“良”为声符的字还有“浪”“狼”“郎”“粮”等，这些字的现代读音也不完全相同：良 (liáng)、朗 (lǎng)、浪 (làng)、狼 (láng)、郎 (láng)、粮 (liáng)。“良”作为部件在字的左边时，其字形有些差异。

圭——“街”字的声符。“圭 (guī)”与“街(jiē)”的现代读音差别很大，但在古代它们的读音是相近的，这是由古今音变造成的。作为部件，在书写时应该比单独的字瘦窄一些，且笔画稍有不同。

⺍——“学”字的组字部件。“学”的繁体字写作“學”，简化为“学”之后，“⺍”只是它的组字部件。

4. 文化

中国的学生怎么上学？

中国的小学生一般都由父母送他们上学，年龄较大的初中和高中学生则自己去学校。一般来说，中国学生的家离学校都不太远，所以有的走路上学，有的坐公共汽车去学校，还有很多学生骑自行车上学。目前中国的大学生大部分都住在学校的宿舍里，他们去上课就更方便了。

五、评估

1. 写出下列词语的拼音。

自行车、邻居、上学

2. 把下面的汉语句子翻译成英语。

(1) 一直往前走。

(2) 你怎么去学校？

(3) 我住在另一条街上。

3. 在横线上填上适当的动词短语。

(1) 我平时________上学。

(2) 他打算________去旅行。

(3) 杰克去上海________。

(4) 马明________去上海。

(5) 大多数中国人________吃饭。

4. 选词填空。

谁　什么　怎么　怎么样　哪儿

(1) 你最近________？

(2) 你刚才说________？

(3) 这个字________写？

(4) ________是你的好朋友？

(5) 你的学校在________？

3 我想选音乐课

一、教学目的

1. 学习说明打算、计划；

2. 了解中学主要课程的汉语名称。

二、教学内容

1. 交际功能：说明打算、计划

2. 语言要点：助动词“想”

3. 语音教学：(1) 听力练习（录音文本见本课“参考资料”）

(2) 辨音练习——s 和 sh（录音文本见本课“参考资料”）

(3) 朗读练习（文本见本课“参考资料”）

4. 汉字教学：继续学习认字、写字

三、教学建议

课堂训练策略：关于课堂活动

教师可以鼓励学生把做好的课表放在笔记本的封页上或者文具盒中，使学生产生成就感。

谈到喜欢上什么课时，教师可以问问学生对于汉语课的希望，进一步提高自己的教学技巧。

四、参考资料

1. 课文注释与语法说明

(1) 我想选音乐课。

在这个句子里，“想”是助动词，表示愿望、打算。它的否定形式是“不想”。例如：

她想买一件新衣服。

我想去海边度假。

他想找一份工作。

他今天不想去看电影。

我不想吃面包。

正反疑问的形式是“想不想”。例如：

你想不想选汉语课？

你想不想跟我一起去旅行？

(2) 不过汉语很难。

在这个句子里，“不过”是表示转折关系的连词，多用于口语。例如：

这件衣服很漂亮，不过有点儿贵。

我想去海边度假，不过现在没有时间。

2. 语音教学

(1) 关于词语的拼读

“打算”(dǎ suan)的“算”(suan)的声母是舌尖前音 s，“数学(shù xué)”的“数(shù)”的声母是舌尖后音sh，请注意引导学生复习第一册已学习的发音规则（参见第一册教师用书的“汉语拼音方案”），区别这两个音。

(2) “听力练习”录音文本

男生：Ellen，你打算选什么课？

女生：我想选音乐课，我喜欢音乐。你呢？

男生：我想选汉语课，你选不选汉语课？

女生：我也想选，不过汉语很难。

男生：你选吧。我帮你！

问题：① Ellen 打算选什么课？

② Ellen 觉得汉语容易吗？

(3) “辨音练习”录音文本

① 山上有三棵树。

② 这是十四，不是四十。

③ 每天有人出生，有人死亡。

(4) “朗读练习”汉字文本

明日复明日，明日何其多。

我生待明日，万事成蹉跎。

这是明朝钱鹤滩的一首诗，题为《明日歌》，内容是勉励人们珍惜每一天的时间。“复”是“又一个”的意思，“何其”的意思是“多么”，“待”是“等待”的意思。

3. 汉字教学：部件介绍

央——“英”字的声符。“央（yāng）”与“英（yīng）”的现代读音有些差异，但在古代，它们的读音是相近的，这是由古今音变造成的。以“央”为声符的字还有“殃”“秧”“鸯”“快”“映”等，这些字的现代读音也不完全相同：殃（yāng）、秧（yāng）、鸯（yāng）、快（yàng）、映（yìng）。

先——“选”字的声符。“选”是“選”的简体字。“選”以“巽”为声符，简化为“选”之后，“先”与“选”的读音相近，即成为“选”的声符。以“先”为声符的字还有“洗(xiǎn)”“宪(xiàn)”等。

相——“想”字的声符。以“相”为声符的字还有“箱”“厢”“湘”“缃”等，它们都读“xiāng”。作为部件，在书写时与单独的字稍有不同。

攸——从现代汉语的角度讲，“攸”与“修”的读音不同，所以“攸”是“修”字的组字部件。但在古代汉语中，二者读音相近，“修”以“攸”为声符。以“攸”为声符的字还有“悠”“脩”等。作为部件，在书写时应该与单独的字稍有不同。

彡——“修”字的意符。“彡”本表示须毛及饰画的花纹，“修”有修饰的意思，所以以“彡”为意符。以“彡”为意符的字还有“形”“彤”“彩”“彰”等，均与色彩、装饰有关。作为部件，在书写时应该比单独的字瘦窄一些。

4. 文化

丰富多样的课程

在中国，孩子们的课程是丰富多样的。在小学，语文、数学和英语都是主课，课时都比较多。此外还有品德、科学、体育和艺术课等。进入中学，他们还要学习历史、地理、物理、化学、生物、信息技术等课程，一般来说这些课程都是必修课，但课时要比主课少些。另外，学生们还可以学习选修课。他们经常参加“综合实践活动”或者各种“兴趣小组”，在那里可以学习制作飞机模型，做有趣的化学实验，学习各种乐器、绘画，甚至还可以学习织毛衣。

附：北京市某中学高一(二)班课程表

	星期一	星期二	星期三	星期四	星期五
第一节	升旗	数学	化学	英语	语文
第二节	物理	历史	英语	语文	数学
第三节	数学	化学	物理	信息技术	政治
第四节	英语	英语	数学	历史	英语
第五节	语文	政治	地理	体育	音乐
第六节	地理	语文	体育	化学	地理
第七节	班会	信息技术	历史	数学	物理

五、评估

1. 写出下列词语的拼音。

音乐、历史、数学、英语、必修课、选修课、武术

2. 把下面的汉语句子翻译成英语。

(1) 我想选音乐课。

(2) 别担心，我帮你！

(3) 你打算上什么课？

4 我能用一下你的橡皮吗

一、教学目的

1. 学会向别人借东西；

2. 学会查字典。

二、教学内容

1. 交际功能：向别人借东西

2. 语言要点：(1) 助动词“能”

(2) 动词“借”

3. 语音教学：(1) 听力练习（录音文本见本课“参考资料”）

(2) 辨音练习——c 和 ch（录音文本见本课“参考资料”）

(3) 朗读练习（文本见本课“参考资料”）

4. 汉字教学：继续学习认字、写字

5. 学习查字典

三、教学建议

课堂训练策略：关于练习

本课的一个重要任务是学习查字典。教师可以为每个小组准备一本字典或者词典，教会学生用音序法查字典和词典。学生学会后，教师可以把字典和词典放在“图书角”中，鼓励学生在学习中碰到困难时自己查字典和词典。

四、参考资料

1. 课文注释与语法说明

(1) 课文注释

①我能用一下你的橡皮吗？

“能＋动词＋宾语＋吗”这一结构可以用来征得别人的同意。“能”是助动词，在这个句子里表示许可。回答时，否定的回答一般用“不行”表示拒绝，用“不能”表示不允许；肯定的回答用“可以”。例如：

A：我能进来吗？

B：可以，请进。（不行，我在换衣服。）

A：我能在这儿抽烟吗？

B：你不能在这儿抽烟。

注意：用“不行”回答，有时会显得不太客气，所以表示拒绝时可以用其他一些比较客气的用语，如：

A：我能进来吗？

B：请等一下，我在换衣服。

A：你能帮我一下吗？

B：很抱歉，我现在很忙。

陈述句的否定形式是“不能”。例如：

你不能在这儿抽烟。

这儿不能倒垃圾。

②在马明那儿。

汉语中表人的名词或代词后加“这儿”（这里）或“那儿”（那里），可以表示处所。介词“在”一般以处所名词为宾语，所以如果人称代词或表人的名词作“在”的宾语，后边要根据具体情况加“这儿”（这里）或“那儿”（那里）。例如：

今天我想在你这儿住。

我的自行车在他那儿。

③我能借一下你的词典吗？

在英语里，表示“借出”(to lend)和“借入”(to borrow)用两个不同的词，而在汉语里，“借”这个词既可以表示借出，也可以表示借入。当意义不明确时，要用介词表示物品传递的方向。例如：

我借了一本词典。

我借给他一本词典。

我向他借钱，他不借给我。

(2) 语法说明：关于助动词（一）

汉语中的助动词数量不多，但用法很复杂。我们已经接触到的助动词有“能、要、会、可以、想、应该”等等。

助动词有以下语法特点：

① 助动词一般能单独作谓语来回答问题。例如：

A：你想选汉语课吗？

B：想。

② 助动词可以用正反疑问的方式表示疑问。例如：

你会不会说汉语？

③ 助动词可以受某些副词的修饰。例如：

他很会做饭。

④ 助动词的宾语不能是名词或名词性词组，只能是动词、形容词或谓词性短语。例如：

他是老师，他说的话不会错。

我明天不能来上课。

⑤ 助动词不能重叠，后面也不能带动态助词。

2. 语音教学

(1) 关于词语的拼读

c和ch也是一对容易混淆的舌尖前音和舌尖后音。鉴于说英语的学生容易混淆舌尖前音和舌尖后音，本课上承第三课的s和sh，安排c和ch的辨音练习，请注意引导学生复习第一册已学习的发音规则（参见第一册教师用书的“汉语拼音方案”）。

(2) “听力练习”录音文本

男生甲：Ellen，我能看一下你的杂志吗？

女　生：可以。杂志在我的书包里。我的书包在Tom那里。

男生甲：Tom，这是Ellen的书包吗？

男生乙：对。给你！

问题：① 第一个男学生说什么？

② 杂志在哪儿？

③ Ellen的书包在哪儿？

(3) “辨音练习”录音文本

① 他迟到了，因为他去买词典。　② 春天来了，村子里的树变绿了。

③ 他把长长的棍子藏起来了。　④ 他太粗心，出去买东西没带钱。

(4)“朗读练习”汉字文本

东洞庭，西洞庭，洞庭山上有铜铃。

风吹藤动铜铃动，风停藤定铜铃静。

这是一段绕口令，教师可以根据学生的兴趣和要求，先讲解意思，再帮助学生练习。

3. 汉字教学：部件介绍

象——“橡”字的声符。以“象”为声符的字还有“像”“豫”等。“象”作为部件，在书写时应该比单独的字瘦窄一些。

司——一般将“司”看做是“词”字的声符，但这两个字现代读音略有不同：司（sī）、词（cí），这是古今音变造成的。以“司”为声符的字还有“祠”“嗣”“伺”“饲”等，这些字的现代读音也不完全相同：词（cí）、祠（cí）、嗣（sì）、伺（cì、sì）、饲（sì）。“司”作为部件，在书写时应该比单独的字瘦窄一些。

手——“拿”字的意符。以“手”为意符的字多与手或手的动作有关，如“掌”“拳”“挚”“挈”等。

4. 怎样查字典

参看前面“关于汉语工具书的使用”。

五、评估

1. 写出下列词语的拼音。

文具盒、词典、书包、杂志、橡皮

2. 把下面的汉语句子翻译成英语。

(1) 我能用一下你的橡皮吗？

(2) 我能借一下你的词典吗？

(3) 我能看一下这本杂志吗？

3. 选择适当的助动词填空。

能　可以　会　应该　想　要

(1) 我____用一下你的词典吗？

(2) 他今天不____游泳。

(3) 学生____努力学习。

(4) 在这儿____抽烟。

(5) 这个暑假我____去欧洲旅行。

(6) 他____用毛笔写汉字吗？

5 我们的校园

一、教学目的

1. 复习本单元所学内容；

2. 学习用方位词对环境进行描述；

3. 学习用汉语写信。

二、教学内容

1. 交际功能：(1) 给朋友写信

(2) 描写环境

2. 语言要点：(1) 复习连动句

(2) 复习“想”“能”“可以”等助动词

3. 语音教学：(1) 朗读练习（录音文本见本课“参考资料”）

(2) 学唱汉语歌

4. 汉字教学：(1) 继续学习认字、写字

(2) 介绍现代汉字

三、教学建议

1. 课堂训练策略：关于课堂活动

本课是复习课，教师可以多出些1～5课学过的词汇进行复习。最好事先准备一些本学校的平面图或者本社区的平面图给学生。

2. 关于“补充阅读材料”的说明

在每一单元最后一课（单元复习）的“参考资料”部分，有少量供教师选择使用的“补充阅读材料”，教师可以根据学生的水平和兴趣，自行考虑选择教学。“补充阅读材料”的内容会尽量贴近学生的水平，但仍会有少量生词，教师应适时加以解释。

四、参考资料

1. 课文注释与语法说明

东边是操场。

这是一个表存在的“是”字句。这种句子的结构是：“方位词或处所词＋是＋表人或事物的名词”。例如：

学校的前边是一个池塘。

床底下是几箱书。

在本教材的第一册，我们接触到表存在的“有”字句，其句型结构与表存在的“是”字句相同，但它们在表达“存在”这一意义上是有区别的：“是”表示某物占据了某一空间，这一物体在这一空间上是惟一的；而“有”则表示某一空间存在着某物，在此之外，也可以存在着别的物体。我们看几个句子：

窗外是一片绿地。

窗外有一片绿地，还有几棵树。

马路南侧是一个大商场。

马路南侧有一个大商场，还有几家小店铺。

2. 语音教学

(1) 关于词语的拼读

z和zh也是一对容易混淆的舌尖前音和舌尖后音。鉴于说英语的学生容易混淆舌尖前音和舌尖后音，这一课上承第三课的s和sh以及第四课的c和ch的辨音练习，注意引导学生综合复习z,c,s和zh,ch,sh（发音规则参见第一册教师用书中的“汉语拼音方案”）。

(2) z,c,s 和 zh,ch,sh 的对比练习

阻力——主力，栽桃——摘桃，资源——支援，自序——秩序；

粗布——初步，推辞——推迟，乱草——乱吵，木材——木柴；

私人——诗人，桑叶——商业，三角——山脚，私事——失事。

(3) 关于“朗读练习和唱歌”

小嘛小二郎，背着书包上学堂，

不怕太阳晒也不怕那风雨狂。

只怕先生骂我懒，没有学问无脸见爹娘。

这是歌曲《读书郎》第一段的歌词。教师可以先让学生朗读，然后再听音乐学唱。

3. 补充阅读材料

(1) 天安门广场在北京的中心。它的北边是故宫，南边是前门，东边有国家博物馆，西边有人民大会堂。

(2) 有一个学生，他去一个老师那儿学习。第一天，老师教他一个汉字，是“一二三四”的“一”；第二天，老师教他一个“二”字；第三天，他学了一个“三”字。他回家告诉爸爸，自己已经会写字了。第四天，他的家里来了客人，他告诉客人他会写字了。客人叫他写一个“万”字，这个学生马上去写。过了一个小时，他来告诉客人：“对不起，这个字的笔画太多了，我还没写完。”客人去他的房间，看见桌子上、床上、地上都是纸，上面写了几百个“一”。你会写“万”字吗？

4. 汉字教学

(1) 部件介绍

奇——“椅”字的声符。“奇”与“椅”的现代读音有些差异，但在古代，它们的读音是相近的，这是古今音变造成的。以“奇”为声符的字还有“倚”“骑”“崎”“寄”等。这些字的现代读音也不完全相同：奇（qí）、椅（yǐ）、倚（yǐ）、骑（qí）、崎（qí）、寄（jì）。

方——“旁”字的声符。“方”与“旁”的现代读音有些差异，但在古代，它们的读音是相近的，这是古今音变造成的。以“方”为声符的字还有“放”“房”“访”“防”“仿”“纺”等。这些字的现代读音也不完全相同：方（fāng）、旁（páng）、放（fàng）、房（fáng）、访（fǎng）、防（fáng）、仿（fǎng）、纺（fǎng）。

元——“园”字的声符。“园”字的繁体字是“園”，以“袁”为声符，简化以后以“元”为声符。以“元”为声符的字还有“远”“沅”“芫”“完”“玩”等。这些字的现代读音并不完全相同：元（yuán）、园（yuán）、远（yuǎn）、沅（yuán）、芫（yuán、yán）、完（wán）、玩（wán）。

至——一般将“至”看做“室”字的组字部件，这是因为两字在读音上虽有些差异，但我们还是可以看出它们在语音上的关系，因此也可以将“至”看做是“室”字的声符。以“至”为声符的字还有“致”“侄”“窒”“郅”“桎”等，这几个字的读音与“至”比较接近：致（zhì）、侄（zhí）、窒（zhì）、郅（zhì）、桎（zhì）。同时，“至”还是一些字的意符，如“到”“臻”等。作为部件，在书写时应该与单独的字略有不同。

(2) 关于现代汉字

“现代汉字”就是现代汉语用字。

现代使用的汉字，其中绝大多数是由古代的汉字发展演变而来的，不过有些字变化得大些，有些字变化得小些。其变化的总趋势是：第一，形体笔画逐渐符号化；第二，笔画和部件由繁趋简。

汉字具有较强的表意性，造字之初是力图以字形结构体现词义的，这种特点一直保留在汉字的演变之中。但由于书写的要求，汉字形体笔画的形象性逐渐减弱以至消失，笔画变成了线条，这就形成了汉字的符号化。

为了书写上的便利，在汉字的演变过程中一直呈现出简化的趋势，简化汉字就是顺应这一趋势而进行的一次规范化整理的成果。

符号化以后的汉字（包括简化汉字），虽然文字的形体和笔画都有所变化，但仍然保留了汉字的特点，因此大部分还可以用传统的“六书”理论对它们进行解说，只是对一些已经变化了的部件和结构应该有所了解。但也有少数汉字不能用传统的“六书”理论来分析了，对这些字我们只需知道它们的结构以及组字部件就可以了。

第一单元评估与测验

本册教师用书每个单元之后都设计了一个综合性的小测验，既可以复习本单元的重要内容，又可以起到评估的作用，教师可以根据需要选用。

1、请把词语和拼音连接起来。

(1) 认识　　huānyíng
　欢迎　　zìxíngchē
　邻居　　rènshi
　数学　　línjū
　自行车　　shùxué

(2) 历史　　shūbāo
　书包　　jiàoshì
　教室　　lìshǐ
　想念　　xiǎngniàn
　文具盒　　wénjùhé

2、请把汉语句子和它们的英语意思连接起来。

(1) 我是新来的学生。　　a. I want to choose the music lesson.
(2) 我住在另一条街上。　　b. I'm a new student.
(3) 我想选音乐课。　　c. Can I borrow your dictionary?
(4) 我能借一下你的词典吗？　　d. My desk is beside the window.
(5) 我的桌子在窗户旁边。　　e. I live in the other street.

3、阅读理解。

杰克是新来的学生。他在十年级四班，他弟弟在八年级二班。杰克每天骑自行车上学，他弟弟走路上学。杰克想选汉语课和武术课，他很喜欢汉语。他弟弟想选法语课，他很喜欢法语。朗文中学的汉语教室很宽敞、很明亮。法语教室也很宽敞、很明亮。

判断对错（T / F）：

1. 杰克是新来的学生。(　　)
2. 杰克的弟弟在八年级三班。(　　)
3. 杰克的弟弟想选汉语课。(　　)
4. 杰克喜欢法语。(　　)
5. 朗文中学的法语教室很小。(　　)

第二单元　业余爱好

单元介绍

这个单元的话题主要与兴趣、爱好相关。在语言功能上涉及朋友之间就某种爱好进行的交流，以及对一些问题的简单讨论，引导学生简单地发表自己的观点。在语言结构上主要是介绍语气助词“了”的用法，以及与“了”相关的一些结构。人物活动继续以马明、杰克及其朋友为主线。

6　哪个队赢了

一、教学目的

1. 学会讨论体育比赛的情况、结果；

2. 学习简单表达对事情的看法。

二、教学内容

1. 交际功能：(1) 讨论体育比赛的情况和结果

(2) 简单表达对事情的看法

2. 语言要点：语气助词“了”

3. 语音教学：(1) 听力练习（录音文本见本课“参考资料”）

(2) 辨音练习（录音文本见本课“参考资料”）

(3) 朗读练习（文本见本课“参考资料”）

4. 汉字教学：(1) 继续学习认字、写字

(2) 介绍现代汉字的构形

三、教学建议

课堂训练策略：关于课堂活动

除了课本中的课堂活动外，还可以组织学生针对最近本地区的演出发表看法，进行讨论。

四、参考资料

1. 课文注释与语法说明：语气助词“了”（一）

语气助词“了”用于句子的末尾，有成句的作用。它有几种不同的用法，本课所接触到的是其中的一种，即用在动词谓语句的末尾，肯定事件的发生和动作的实现。例如：

杰克去学校了。

飞机起飞了。

小王来了。

我昨天看电影了。

动态助词“了”也表示动作的实现（参考第十六课的语法说明），但与语气助词“了”比较，动态助词“了”一般只作用于动作本身，肯定动作本身的实现，而语气助词“了”除了肯定动作的实现外，还有提供新信息的作用，从而引出推论、判断等。如“杰克去学校了”，这个句子所提供的信息是杰克现在不在家。“小王来了”所提供的信息是小王现在在这儿。

这类句子的否定形式是在动词前加“没”或“没有”，把“了”去掉。例如：

杰克没去学校。

小王没来。

我昨天没有看电影。

学生经常出现的错误是在否定式中仍保留“了”，如“飞机没起飞了”。教师可以有针对性地加以强调。

2. 语音教学

(1) “听力练习”录音文本

男生甲：Tom，昨天的比赛怎么样？

男生乙：是不是英国队跟德国队的比赛？

男生甲：对。昨天我没看。哪个队赢了？

男生乙：英国队赢了。

男生甲：你觉得比赛怎么样？

男生乙：我觉得一般。

问题：① 是哪两个队的比赛？

② 哪个队赢了？

③ 比赛在哪一天？

④ 第二个人觉得比赛怎么样？

(2) “辨音练习”录音文本

① 这件事情很有趣，可是他很有气。

② 它坐在床上，不是坐在船上。

(3) “朗读练习”汉字文本

我家有个大棚，棚里有个大盆。

风刮倒了大棚，砸坏了大盆。

爸爸修好了大棚，妈妈新买了大盆。

这是一段绕口令，教师可以根据学生的兴趣和要求，先讲解意思，再帮助学生练习。

3. 汉字教学

(1) 部件介绍

舟——“般”字的组字部件。以“舟”为部件的现代汉字还有“船”“舫”“盘”等。作为部件，书写时应该与单独的字略有不同。

中——“种”字的声符。“种”是简化字，它的繁体写作“種”或“穜”，简化后以“中”为声符。以“中”为声符的字还有“钟”“肿”“盅”“冲”“忡”等。这些字的现代读音并不完全相同：中（zhōng）、种（zhǒng、zhòng）、钟（zhōng）、肿（zhǒng）、盅（zhōng）、冲（chōng、chòng）、忡（chōng）。作为部件，书写时应该比单独的字瘦窄一些。

艮——“跟”字的声符。以“艮”为声符的字还有“根”“很”“恨”“狠”等，但这几个字的读音并不完全相同：跟（gēn）、根（gēn）、很（hěn）、恨（hèn）、狠（hěn）。作为部件，在书写时应该比单独的字瘦窄一些。

(2) 现代汉字的构形分析（一）

汉字的形体可分为笔画、部件、整字三个层次，这一点古今是一致的。

从内部结构上分析，可以将现代汉字的构字部件分为意符、声符和记号三种。和整字在意义上有联系的是意符；和整字在读音上有联系的是声符；和整字在意义与读音上均没有联系的是记号。需要说明的是，这里所说的“意符”，只是就文字所表示的意义而言，并不考虑该字的形体与意义之间的关系。如“日”作为意符表示与“太阳”或“阳光”等有关的意义，至于“日”字本身的形体是否能表现出太阳的形象，则不在考虑范围之内。意符、声符、记号三类部件搭配使用，构成了现代汉字的六种结构，有人称它们为“新六书”。现简介如下：

① 会意字

与传统的会意字一样，是由两个或两个以上的意符构成的，如：

从——表示一个人跟随一个人，与古代汉字一致。

库——“车”在“广”下，由收藏兵车的地方引申为收藏其他物品的地方。这个字虽然已经由繁体字“庫”简化为“库”，但其造字理据不变。

尘——“小”的“土”粒就是“尘”（尘埃）。这是一个用会意造字法造出的新的简化字，繁体字为“塵”。

② 形声字

与传统的形声字一样，是由意符和声符共同构成的。如：

搬——从“手”（扌），“般”声，表示用手移动东西。与古代汉字一致。

砖——从“石”，“专”声，指建筑用的砖石。“砖”是“磚”的简化字，是声符字进行了简化。

态——从“心”，“太”声，指状态、心态。“态”是“態”的简化字，繁体字“態”的声符字“能”在现代已不能准确地表示读音，简化时就改用了与“态”字读音完全相同的“太”作为声符。

有的形声字声符兼表意。如：

娶——从“女”，“取”声，迎娶妻子的意思。“取”为声符，同时兼表意义。

五、评估

1. 写出下列词语的拼音。

比赛、音乐会、足球、交响乐、流行音乐

2. 把下面的汉语句子翻译成英语。

(1) 上个星期六我听音乐会了。

(2) 巴西队赢了。

(3) 我喜欢流行音乐。

7　给你一张电影票

一、教学目的

1. 学习表达给予和拒绝；

2. 学习简单地表达惋惜。

二、教学内容

1. 交际功能：(1) 表达给予和拒绝

(2) 表达惋惜

2. 语言要点：(1) 双宾语

(2) “太……了”句式

(3) 助动词“要”

3. 语音教学：(1) 听力练习（录音文本见本课“参考资料”）

(2) 辨音练习（录音文本见本课“参考资料”）

(3) 朗读练习（文本见本课“参考资料”）

4. 汉字教学：(1) 继续学习认字、写字

(2) 介绍现代汉字的构形

三、教学建议

课堂训练策略：关于课堂活动

除了课本中的课堂活动外，还可以组织学生针对最近正在上演的电影发表看法，进行讨论。

四、参考资料

1. 课文注释与语法说明

(1) 课文注释

① 太好了！

这是一个感叹句。这种感叹句一般是由“太+形容词+了”构成的。例如：

这儿的风景太美了！

这个菜太好吃了！

② 我要做海报。

在这个句子里，“要”是助动词，表示有做某事的意愿。例如：

我要去看电影。

我要去山区度假。

我不想去玩，我要做作业。

表示否定一般说“不想”，如：

我不想去看电影。

常用的正反问句形式是“想不想”，中国南方的一些地方也说“要不要”。如：

A：你想不想去游泳？

B：我不想去，我要回家。

助动词“想”也有表达愿望的意思，与“要”相比，“要”所表达的愿望更为强烈。

(2) 语法说明：双宾语动词谓语句

所谓双宾语动词谓语句，就是一个动词带两个宾语，其中一个是指人的宾语，一个是指物或事的宾语。本课的题目“给你一张电影票”就是一个双宾语动词谓语句。在这个句子里，动词“给”有两个宾语，一个是指人的“你”，一个是指物的“电影票”。再看几个例子：

他送我一件礼物。

刘老师教我们汉语。

我没告诉他这件事。

在汉语中，能带双宾语的动词是有限的。在英语中有些能带双宾语的动词，翻译成汉语后往往不能带双宾语，而要在动词后加介词“给”来引入动作的对象。学生往往容易把这样的动词直接用到汉语中来。如“write”（写），英语说“He writes me a letter”，汉语则要说“他写给我一封信”，学生可能出现的错误是“他写我一封信”。教师可以有针对性地加以强调。

2. 语音教学

(1) “听力练习”录音文本

男生：昨天下午你看《花木兰》这个电影了吗？

女生：没有。昨天我没空儿，我去做海报了。

男生：你没看太可惜了。

女生：我也觉得很可惜。你看了吗？

男生：我打算今天下午去看，我有两张票，给你一张。

女生：谢谢！

问题：① 女学生看《花木兰》了吗？为什么？

② 他们两个人觉得这个电影好看不好看？为什么？

③ 他们打算什么时候去看电影？

④ 女学生有没有电影票？为什么？

(2) “辨音练习”录音文本

① 我买包子，不买报纸。

② 那是他的兔子，不是他的肚子。

③ 我弟弟喜欢图书，不喜欢读书。

(3) “朗读练习”汉字文本

昨夜见军帖，可汗大点兵，军书十二卷，卷卷有爷名。

阿爷无大儿，木兰无长兄，愿为市鞍马，从此替爷征。

这是中国南北朝时期北朝民歌《木兰诗》中的一段。结合课文中谈到的《花木兰》这部动画电影，我们节选了《木兰诗》，与课文相配合，以引起学生的兴趣。在中国，花木兰女扮男装、替父从军是家喻户晓的故事。

“军帖”是征兵的公文；“可汗”(kèhán)是中国古代西北民族对君主的称呼；“爷”“阿爷”都是“父亲”的意思；“市”是买的意思。

3. 汉字教学

(1) 部件介绍

𠬝——“报”字的部件。以“𠬝”为部件的字还有“服”“赧”等。作为部件，书写时应该比单独的字瘦窄一些。

化——“花”字的声符。以“化”为声符的字还有“华”等。这几个字的读音是：化（huà）、花（huā）、华（huá）。作为部件，在书写时应该与单独的字略有不同。

刂——“师”字的组字部件。“师”的繁体写作“師”，简化后写作“师”。以“刂”为部件的字还有“帅”“归”等。

(2) 现代汉字的构形分析（二）

③ 半意符半记号字

半意符半记号字是由意符和记号组成的。这类字中有不少本来是古代的形声字，在长期的演变中，一些字改换了音符，有的音符又由于古今音的变化已不能准确地表示整字的读音而变成了记号，但该字的意义古今没有太大的变化，其意符仍能表示它的含意，故称为半意符半记号字。应该注意的是，我们在“部件举例”中列举的音符字，都是以传统的古音为依据的，按现代汉字学对音符字的要求，凡整字的读音与音符的读音不同的，其音符均可以看成记号。如：

缸——“缶”是意符，表示以土为原料的烧制品。另一部件“工”字在古代与“缸”的读音相近，是该字的声符。但在现代，“缸”“工”两字的读音相差很多，我们就将“缸”字归入“半意符半记号字”了。

鸡——“鸟”为意符，表示“鸡”属于飞禽类的动物。繁体字“鸡”写为“鷄”，以“奚”为声符，是典型的形声字。但简化后的“又”不能充当“鸡”的声符，只能是记号。

泉——古文字形像流出泉水的泉穴，本身是象形字。但楷书化以后，变为从“白”、从“水”，“水”可以看做意符，“白”只能是记号。

④ 半音符半记号字

半音符半记号字由音符和记号构成。这类字也主要来自古代的形声字，音符还能表音，意符却已经无法表意而变成了记号。如：

笨——本指竹子的内层，所以从“竹”，“本”是声符。后假借为表示愚拙之义，“竹”已不再与“笨”字的意义有任何联系，所以成为记号。

纪——本指丝缕的头绪，所以从“纟”，“己”是声符。现在主要表示纪律、记载等意，“纟”已经失去了意符的作用，就演变成了记号。

华——本指花朵。繁体字写作“華”，是象形字，是树上开满了花的形象。简化为“华”，“化”成了声符，“十”就是记号。

4. 文化

勇敢的花木兰

在中国的南北朝时期，有一位勇敢的姑娘名叫花木兰，她的故事一直被大家传诵着。花木兰本来只是一个普通的女子，跟别的女人一样，在家里织布做家务。那时候，北方的统治者经常入侵中原，朝廷招募兵勇去打仗。可是木兰的爸爸年纪已经大了，木兰的弟弟年纪还很小，于是，勇敢的木兰姑娘决定女扮男装，代父从征。从此，她在军队中和男兵们一起征战，建立了许多功勋。十二年过去了，战争结束了，皇帝赏赐立功的将士，许多人都当了大官，可是花木兰却拒绝了，她只有一个心愿，就是尽快地回到家乡。回到家乡以后，木兰又穿起了女装。当她出去见她的战友的时候，战友们都惊呆了：一同作战了十二年，居然不知道花木兰是一位姑娘！

为教师教学方便，现将《木兰诗》全文列在下面：

唧唧复唧唧，木兰当户织。不闻机杼声，惟闻女叹息。

问女何所思，问女何所忆。女亦无所思，女亦无所忆。昨夜见军帖，可汗大点兵，军书十二卷，卷卷有爷名。阿爷无大儿，木兰无长兄，愿为市鞍马，从此替爷征。

东市买骏马，西市买鞍鞯，南市买辔头，北市买长鞭。旦辞爷娘去，暮宿黄河边，不闻爷娘唤女声，但闻黄河流水鸣溅溅。旦辞黄河去，暮至黑山头，不闻爷娘唤女声，但闻燕山胡骑鸣啾啾。

万里赴戎机，关山度若飞。朔气传金柝，寒光照铁衣。将军百战死，壮士十年归。

归来见天子，天子坐明堂。策勋十二转，赏赐百千强。可汗问所欲，木兰不用尚书郎；愿驰千里足，送儿还故乡。

爷娘闻女来，出郭相扶将；阿姊闻妹来，当户理红妆；小弟闻姊来，磨刀霍霍向猪羊。开我东阁门，坐我西阁床，脱我战时袍，著我旧时裳，当窗理云鬓，对镜帖花黄。出门看火伴，火伴皆惊忙：同行十二年，不知木兰是女郎。

雄兔脚扑朔，雌兔眼迷离；双兔傍地走，安能辨我是雄雌。

五、评估

1. 写出下列词语的拼音。

电影、有意思、可惜、时间

2. 把下面的汉语句子翻译成英语。

(1) 我要做海报。

(2) 刘老师给我两张票。

(3) 你没看这个电影，太可惜了。

3. 给括号里的词语选择适当的位置。

(1) 杰克A 给B 两张票C。(我)

(2) 我打算A 给B 写C 一封信D。(他)

(3) 马明A 借B 给C 一本书D。(我)

(4) 王老师A 教B 法语C。(我们)

8　你的爱好是什么

一、教学目的

1. 学习表达惋惜；

2. 学习简单表达不同观点。

二、教学内容

1. 交际功能：(1) 表达惋惜
　　　　　　(2) 简单表达不同观点

2. 语言要点：(1) 副词“已经”
　　　　　　(2) “从……到……”句式

3. 语音教学：(1) 听力练习（录音文本见本课“参考资料”）
　　　　　　(2) 辨音练习（录音文本见本课“参考资料”）
　　　　　　(3) 朗读练习（文本见本课“参考资料”）

4. 汉字教学：(1) 继续学习认字、写字
　　　　　　(2) 介绍现代汉字的构形

三、教学建议

课堂训练策略：关于练习

可以结合“你来说一说”中“从……到……”的句型，让学生练习叙述自己的一天。

四、参考资料

1. 课文注释与语法说明

(1) 舞会已经结束了。

“已经”是副词，表示动作、变化的完成。使用“已经”时，句子末尾常常要用语气助词“了”。我们看几个句子：

电影已经开始了。

这孩子已经上大学了。

飞机已经起飞了。

比赛已经结束了。

(2)（舞会）从七点到九点。

“从……到……”结构可以用来表示空间上两点间的距离，也可以表示时间上两点间的距离。在表达上，如果不需要特别强调两点间的起点，“从”可以省略。例如：

我们（从）上午八点到十点上课。

（从）北京到沈阳有七百五十公里。

2. 语音教学

(1)“听力练习”录音文本

男生：Fiona，你来这儿干什么？

女生：我来看足球比赛。

男生：比赛已经结束了。

女生：太可惜了。

男生：你可以看电视里的足球比赛。

女生：什么时候？

男生：今天晚上8点到10点。

问题：① Fiona来干什么？

② 她看足球比赛了吗？为什么？

③ 男学生说什么？

④ 电视里什么时候有足球比赛？

(2)“辨音练习”录音文本

① 这是做家具的木材，不是壁炉用的木柴。

② 他的姐姐是那个诗人的私人秘书。

③ 他姓臧，不姓张；我姓张，不姓臧。

④ 他喜欢看杂志，我喜欢看杂技。我送他一本杂志，他跟我一起看杂技。

(3)“朗读练习”汉字文本

红花开，黄花开，花丛旁边蝴蝶飞。

孩子追着蝴蝶跑，蝴蝶钻进花丛去。

这是一段绕口令，教师可以根据学生的兴趣和要求，先讲解意思，再帮助学生练习。

3. 汉字教学

(1) 部件介绍

吉——“结”的组字部件。按照传统的“六书”理论，“吉”是“结”字的声符，但这两个字只是古代的读音很相近，现代读音不尽相同，故“吉”字只能看做是“结”字的组字部件。作为部件，书写时应该比单独的字瘦窄一些。

见——“视”字的意符。以“见”为意符的字多与“看”这一动作有关，如“现”“观”等。

(2) 现代汉字的构形分析（三）

⑤ 独体记号字

独体记号字是由一个记号构成的字，主要来自古代的象形字。由于文字形体的演变，古代的许多象形字已经不再“象形”，即从楷书字形上已经看不出其意义与形体之间的关系，也看不出应该读什么音，因此就成了独体记号字。独体记号字作为一个字符进入合体字时，可以充当意符、声符和记号。该字的意义与由它构成的合体字有关联时，它就是意符。如：

日——本是象形字，但写成这样的方块字，已表示不出圆形的太阳的形象，因此就看做是独体记号字。但是在由“日”构成的合体字——如“明”“晴”“晨”等字中，“日”仍是意符。

门——繁体字写作“門”，就是两扇门的样子，象形字。简化为“门”之后，已经看不出这样的形体为什么就是“门扇”的原因，因此，只能将它作为独体记号字。在“们”“扪”“闷”等字中，“门”是声符。

而——本指男人脸上的颊毛，是象形字。但很早“而”就假借为连词，作为连词的“而”，只能是独体记号字。

⑥ 合体记号字

合体记号字是由两个或两个以上的记号构成的。这些字有的来自古代的象形字，经过变化后已经不再象形；有的来自古代的形声字，由于其意符和声符都失去了作用，所以演变成了合体记号字。如：

龟——“龟”的古文字形是象形字，楷书化之后写作“龜”，本来已经很难看出其形体特征了，简化为“龟”后，就完全成为记号字了。该字由上下两部分组成，所以是合体记号字。

特——本指公牛，是一个形声字：从“牛”，“寺”声（古音“特”与“寺”相近）。

但在现代汉语中，“特”表示“特殊”“不一般”之意，其本来的意符已失去作用。同时，在现代汉语中，“特”与“寺”的读音又相去甚远。于是，“特”就演变为一个合体记号字。

听——“聽”的简体字。“聽”是形声字，从“耳”“悳”，“壬”声。简化为“听”，“口”和“斤”都只能是记号，因此它是一个合体记号字。

射——从古文字形上看，“射”表现了一个十分清楚的射箭的形象（[illegible]），小篆也还写作“䠶”，从“矢”，仍表现出了“射”与“弓箭”之间的关系。但在长期的流传过程中，字形讹变为由“身”和“寸”构成，此二者都既不是声符、也不是意符，“射”就成了一个合体记号字。

五、评估

1. 写出下列词语的拼音。

爱好、已经、结束、舞会、便宜、总是

2. 把下面的汉语句子翻译成英语。

(1) 舞会从七点到九点。

(2) 现在已经九点一刻了！

(3) 音乐会的票太贵了！

9　比赛就要开始了

一、教学目的

学习表达事情急迫。

二、教学内容

1. 交际功能：表达事情急迫

2. 语言要点：“就要……了”句式

3. 语音教学：(1) 听力练习（录音文本见本课“参考资料”）

(2) 辨音练习（录音文本见本课“参考资料”）

(3) 朗读练习（文本见本课“参考资料”）

4. 汉字教学：继续学习认字、写字

三、教学建议

课堂训练策略：关于练习

除了课本中的练习外，“看见”也是一个比较有用的词语，教师可以随机发问：“你看见……了吗?”让学生进行练习。

四、参考资料

1. 课文注释与语法说明

(1) 比赛就要开始了。

“就要……了”这一结构表示某一事件、某种行为或某种状态在短时间内即将发生或就要出现。例如：

他们就要结婚了。

我明年就要毕业了。

天就要冷了。

学校就要放假了。

(2) 快上场吧！

这是一个祈使句。在这个句子里，“快”是形容词，用在动词前，有催促的意思。语气助词“吧”起到缓和语气的作用。

2. 语音教学

(1) “听力练习”录音文本

男生：Fiona，你看见Tom了吗？

女生：没有，他不在教室。

男生：糟糕，比赛就要开始了。

女生：我们班就要上场了吗？

男生：是啊，你快去找他吧。

问题：① Tom在不在教室？

② 男学生找Tom干什么？

③ 哪个班就要上场了？

(2) “辨音练习”录音文本

① 我叫你买盘子，你怎么卖盆子？

② 我不喜欢北方，因为那里冬天刮北风。

③ 两只燕子落在我家的院子里，我希望它们天天住在这里。

(3) “朗读练习”汉字文本

横看成岭侧成峰，远近高低各不同。

不识庐山真面目，只缘身在此山中。

这是宋朝诗人苏轼（苏东坡）的一首诗。作者游庐山时，把这首诗写在庐山西林寺的墙壁上，诗名就叫《题西林壁》。前两句写从不同位置、不同角度看到的庐山的山峰形状，后两句写诗人的感受，说明“当局者迷，旁观者清”的道理。“缘”是“由于”的意思。

3. 汉字教学：部件介绍

水——“泉”字的组字部件。按照《说文》的说法，“泉”字是象形字，本义为水源，楷化后已看不出原来的形体了。以“水”为部件的字还有“冰”“淼”等。

冫——“准”字的组字部件。以“冫”为部件的字还有“凉”“冻”等。应当注意的是，“冫”在“凉”“冻”二字中是意符，而在“准”字中则不是。

羔——“糕”字的声符。作为部件，在书写时应该比单独的字瘦窄一些。

五、评估

1. 写出下列词语的拼音。

看见、开始、饮料、运动场、上场、矿泉水

2. 把下面的汉语句子翻译成英语。

(1) 比赛就要开始了。

(2) 你看见李大龙了吗？

(3) 我们请运动员喝饮料，好吗？

10 我的新朋友

一、教学目的

1. 复习本单元所学内容；

2. 学习用汉语写海报；

3. 学习用汉语写日记。

二、教学内容

1. 交际功能：(1) 用汉语写海报
(2) 用汉语写日记

2. 语言要点：(1) 复习语气助词“了”、副词“已经”和助动词“要”
(2) 复习双宾语

3. 语音教学：(1) 朗读练习（录音文本见本课“参考资料”）
(2) 学唱汉语歌

4. 汉字教学：继续学习认字、写字

三、教学建议

课堂训练策略：关于课堂活动

除了课文中的课堂活动外，教师还可以鼓励学生们模仿课文写一篇日记，叙述自己上学以来的感受；也可以鼓励他们给亲人或者朋友写信，谈谈自己的感受。

四、参考资料

1. 课文注释与语法说明

(1) 我要告诉王家明和大卫这里的情况。

这是一个双宾语动词谓语句，动词“告诉”有两个宾语，一个是指人的“王家明和大卫”，一个是指事的“这里的情况”。

(2) 请他们来参加这里的足球比赛。

这是一个兼语句，请参看第十二课的语法说明。

2. 语音教学：关于“朗读练习和唱歌”

好一朵茉莉花，

好一朵茉莉花，

满园花开比也比不过它。

我有心采一朵戴，又怕来年不发芽。

我有心采一朵戴，又怕来年不发芽。

这是一首歌的歌词，教师可以先让学生朗读，然后再听音乐学唱。

3. 补充阅读材料

(1) 兔子喜欢跑步，它经常参加比赛。今天它很不高兴，因为它要和乌龟比赛。比赛开始了，兔子很快跑了一半路。它回头看乌龟，乌龟还在后面慢慢地爬。兔子想，乌龟太慢了，我可以在这儿休息一会儿。兔子很快睡着了。过了一会儿，兔子醒了，它看见乌龟马上就要跑到终点了。它马上跑过去，可是已经晚了，乌龟赢了。

(2) 从前有一个放羊的男孩。他在山上觉得很无聊，想跟村子里的人开个玩笑。他喊：“狼来了，狼来了。”村子里的人听见了，马上跑来。可是，那里没有狼。第二天，他又跟村子里的人开这个玩笑，村里的人都很生气。第三天，狼真的来了，男孩大声喊，可是没有人来帮助他。村子里的人已经不相信他了。狼吃了很多羊。

4. 汉字教学：部件介绍

反——“板”字的组字部件。以“反”为部件的字还有“扳”“版”“饭”“返”等。其中“饭”“返”与“反”读音相近或相同，可以看做是以“反”为声符。这些字的读音如下：反（fǎn）、返（fǎn）、板（bǎn）、扳（bān）、版（bǎn）、饭（fàn）。作为部件，在书写时应该比单独的字瘦窄一些。

斥——“诉”字的组字部件。以“斥”为部件的字还有“拆”“柝”等。

⺧——“告”字的组字部件。“⺧”是“牛”字的变体。

五、评估

1. 写出下列词语的拼音。

开学、告诉、情况、滑板、会员、俱乐部、条件

2. 把下面的汉语句子翻译成英语。

(1) 开学已经两个月了。

(2) 马明是个足球迷，也是个电影迷。

(3) “飞飞”俱乐部现在成立了。

第二单元评估与测验

1、请把词语和拼音连接起来。

(1) 比赛　　yìbān
一般　　yǒuyìsi
电影　　wǔhuì
舞会　　bǐsài
有意思　　diànyǐng

(2) 可惜　　jiéshù
开始　　àihào
结束　　kěxī
爱好　　jùlèbù
俱乐部　　kāishǐ

2、请把汉语句子和它们的英语意思连接起来。

(1) 巴西队赢了。　　a. The dance ball is from 7:00 to 9:00.
(2) 刘老师给我两张票。　　b. The Brazil team won.
(3) 舞会从 7 点到 9 点。　　c. The match is just beginning.
(4) 比赛就要开始了。　　d. Welcome the fans of skateboard!
(5) 欢迎滑板爱好者参加。　　e. Mr. Liu gave me two tickets.

3、阅读理解。

安妮、马明和李大龙是好朋友，他们在一起学汉语。安妮是个音乐迷，她喜欢听流行音乐，还喜欢看电影。马明不喜欢流行音乐，也不喜欢看电影，他是个足球迷。李大龙是个舞迷，可是他总是在舞会结束的时候才到，所以很可惜，他总是不能参加舞会。

判断对错（T / F）：

1. 安妮喜欢看电影。(　　)
2. 马明喜欢流行音乐。(　　)
3. 马明不喜欢看电影。(　　)
4. 李大龙常常和安妮一起跳舞。(　　)
5. 李大龙是个舞迷。(　　)

第三单元　温馨的家

单元介绍

这个单元的话题都与家庭以及家庭成员之间的交流相关。在语言功能上涉及为家人留言、给朋友写留言条、与家人协商物品的使用、为家人策划生日庆典等等。在语言结构上主要介绍汉语中动作、行为正在进行的表达方法（主要用副词“在”），以及与之相关的一些结构。人物涉及马明、安妮、李大龙及其家人。

11 你在干什么

一、教学目的

1. 学习询问与说明正在进行的动作；

2. 了解如何与他人协商。

二、教学内容

1. 交际功能：(1) 询问与说明正在进行的动作

(2) 与他人协商

2. 语言要点：副词“在”表示动作正在进行

3. 语音教学：(1) 听力练习（录音文本见本课“参考资料”）

(2) 辨音练习（录音文本见本课“参考资料”）

(3) 朗读练习（文本见本课“参考资料”）

4. 汉字教学：继续学习认字、写字

三、教学建议

课堂训练策略：关于练习“送给”“借给”

做完了课本上的练习后，可以用一些实物，如词典、杂志等在班上进行“送给”“借给”的课堂实践。

四、参考资料

1. 课文注释与语法说明

(1) 我在看礼物。

在这个句子里，“在”是副词，用在动词前，表示动作正在进行。例如：

大卫在看电视。

妈妈在洗衣服。

老师在上课。

同学们在讨论问题。

(2) 你在上网聊天吧?

这个句子里的“吧”是语气助词，用在是非问句的末尾，其功能主要不是疑问，而是表达不肯定的、揣测的语气。例如：

你是中国人吧?

教室里的人多吧?

你收到不少礼物吧?

(3) 我等一下儿再用。

“再”是副词，用在动词前，表示这一动作在另一动作结束后才出现。例如：

我吃完饭再去学校。

我下了课再回家。

他打算毕业后再找工作。

2. 语音教学

(1) “听力练习”录音文本

男生：Ellen，你在干什么?

女生：我在看礼物。

男生：老师送给你什么?

女生：老师送给我一张光盘和一张贺卡。现在你打算去干什么?

男生：我想去上网，送给朋友几张贺卡。

问题：① Ellen 在干什么?（看礼物、看光盘、上网、看贺卡）

②老师送给 Ellen 什么?（手套、围巾、光盘、贺卡）

③男学生打算去干什么?（送礼物、看贺卡、买围巾、上网）

答案：①看礼物 ②光盘、贺卡 ③上网

(2) “辨音练习”录音文本

甲：“你们两个谁是哥哥?”

乙：“哥哥，别告诉他！”

(3) “朗读练习”汉字文本

我家门前有小河，后面有山坡。

山坡上面野花多，野花红似火。

小河里面有白鹅，白鹅戏绿波。

这是一首儿歌，教师可以根据学生的兴趣和要求帮助他们练习朗读。

3. 汉字教学：部件介绍

镸——“套”字的组字部件。以“镸”为部件的字还有“肆”等。

韦——“围”字的声符。“围”是简化字，它的繁体写作“圍”，简化后以“韦”为声符。以“韦”为声符的字还有“伟”“违”“纬”等。这些字的读音如下：韦(wéi)、围(wéi)、伟(wěi)、违(wéi)、纬(wěi)。

而——“需”字的组字部件。

皮——“破”字的组字部件。在古代汉语中，“皮”与“破”的读音很相近，但在现代汉语中读音差异很大，“皮”只能是记号了。以“皮”为部件的字还有“波”“玻”“坡”等。这些字的读音如下：皮(pí)、破(pò)、波(bō)、玻(bō)、坡(pō)。

4. 文化

三口之家

中国自20世纪80年代初期实行了“计划生育”政策，规定一对夫妻只生一胎，所以现在在中国的城市里，年轻人的家庭一般都是“三口之家”：爸爸、妈妈和一个孩子。父母平时工作，周末和节假日的时候，常常带着孩子出去玩。“三口之家”是温馨而幸福的。不过，孩子还小的时候，“三口之家”的父母很辛苦，他们一边要工作，一边还要抚养孩子，接送孩子上托儿所、幼儿园、小学，所以有时候年轻的爸爸妈妈会把已经退休的父母接来一起住，帮助他们照顾幼小的孩子。有的条件好的家庭还雇了保姆来照顾孩子、料理家务。

五、评估

1. 写出下列词语的拼音。

正在、贺卡、围巾、手套、电脑、资料、聊天、需要

2. 把下面的汉语句子翻译成英语。

(1) 妈妈送给我一副手套。

(2) 你在干什么？

(3) 我先用一下，好吗？

3. 用适当的量词填空。

(1) 一_____围巾　　一_____马路

(2) 一_____手套　　一_____眼镜

(3) 一_____书　　一_____杂志

(4) 一_____桌子　　一_____纸

12 祝你节日快乐

一、教学目的

1. 学习为他人留言；

2. 学习向他人表示节日祝贺；

3. 学习写留言条。

二、教学内容

1. 交际功能：(1) 为他人留言

(2) 向他人表示节日祝贺

(3) 写留言条

2. 语言要点：兼语句

3. 语音教学：(1) 听力练习（录音文本见本课“参考资料”）

(2) 辨音练习（录音文本见本课“参考资料”）

(3) 朗读练习（文本见本课“参考资料”）

4. 汉字教学：继续学习认字、写字

三、教学建议

课堂训练策略：关于课堂活动

除了学习写留言，教师还可以根据实际情况组织学生谈一谈有关过圣诞节、过新年的情况。

四、参考资料

1. 课文注释与语法说明：兼语句

兼语句是由一个动宾短语与一个主谓短语套用构成的，动宾短语的宾语同时又是主谓短语的主语。我们看一个句子：

我请他吃晚饭。

在这个句子里，“我”是主语，谓语中动宾短语“请他”的宾语“他”同时又是后边的主谓短语“他吃晚饭”的主语。这样的句子就是兼语句。

兼语句可以分为几种类型，我们在本课所接触到的句子“让她给我打电话”，是表示使令意义的兼语句。这种类型的兼语句的第一个动词是表示使令意义的，如“请”“叫”“让”“派”等等。再看几个句子：

爸爸叫我修车。

老师让我们念课文。

学校请王教授讲文学课。

上尉派士兵打探消息。

还需说明的是，兼语句也往往与连动句套用。例如：

老师让我们用铅笔写字。

学校请王教授来讲中国文学课。

上尉派士兵去打探消息。

2. 语音教学

(1) “听力练习”录音文本

Fiona 你好，我是Tom，我现在在等火车，我要去纽约玩两天。请你告诉Ellen，新年我给你们打电话，我们一起去听新年钟声。祝你们圣诞快乐！

问题：①这是谁的留言？（Fiona, Tom, Ellen, Jack）

② Tom 在干什么？（等火车、在纽约、听新年钟声、过圣诞节）

③现在是什么时候？（新年、圣诞节、新年以后、圣诞节以前）

答案：① Tom ②等火车 ③圣诞节

(2) “辨音练习”录音文本

甲：喂，这是什么地方？

乙：这是我的肩膀。

(3) “朗读练习”汉字文本

两个黄鹂鸣翠柳，一行白鹭上青天。

窗含西岭千秋雪，门泊东吴万里船。

这是中国唐朝著名诗人杜甫在成都草堂居住时作的一首诗。大意是：两只黄鹂鸟在青翠的柳树上鸣唱，一行白鹭在蓝天上飞翔。诗人坐在房间里可以看到窗外岷山顶上的千年积雪，诗人家门前面的河边停泊着去东吴的航船。岷山在成都西，所以称“西岭”，上面的积雪终年不化。“东吴”指今江苏的江南地区，从成都城外乘船可以直达。

这是一首写景诗，每句都是一幅美景。教师可以根据学生的兴趣和要求先讲解给他们听，再帮助他们练习朗读。

3. 汉字教学：部件介绍

气——“汽”字的声符。作为部件，在书写时应该比单独的字瘦窄一些。

立——“站”字的意符。“立”字的本义是站立，以“立”为意符的字多与站立的动作或姿势有关，如“端”“竖”等。有些字虽以“立”为部件，但并不以“立”为意符，如“意”“竟”“亲”等。

喿——“澡”字的声符。以“喿”为声符的字还有“躁”“燥”“噪”等。这些字的读音如下：澡 (zǎo)、躁 (zào)、燥 (zào)、噪 (zào)。

士——“声”字的组字部件。以“士”为部件的字还有“壮”“吉”“志”等。

4. 文化

中国有情人节吗

现在在中国，很多年轻人在2月14日这一天过情人节，这个情人节是从西方传入的。然而事实上中国也有自己传统的“情人节”，这就是每年农历七月初七的“七夕节”，这个节日又称为“乞巧节”。传说古代有一位名叫织女的美丽仙女，她爱上了人间贫穷的放牛娃牛郎，便来到了人间，做了牛郎的妻子。但织女的妈妈——天神王母娘娘很生气，硬要把织女押回天庭。牛郎很痛苦，挑着一对儿女从后面追去。王母娘娘看见后，立刻在织女和牛郎之间划了一条波浪汹涌的天河，这就是我们晚上看到的银河。牛郎和织女无法过河见面，只好在天河两岸遥相对望哭泣。他们的忠贞爱情感动了喜鹊，无数的喜鹊用五彩的羽毛在天河上搭了一座彩桥，牛郎和织女终于能够见面了。王母娘娘无奈，只好同意织女和牛郎每年七月初七见一次面。从此，相爱的人们常常在这一天约会，以纪念他们的爱情。据说，在“七夕节”的晚上，孩子们如果躲在葡萄树下，还能听见牛郎和织女说着甜蜜的情话呢。

另外，中国还有一个更为古老的传统节日，也称得上是中国的“情人节”，那就是上古就有的“上巳节”，魏晋以后日期固定在农历三月初三，在唐宋时期盛极一时。“三月三”最初就起源于古代青年男女的恋爱与婚嫁，后来才逐渐地演变为具有休闲、娱乐和集市贸易活动等多重意义的节日。

五、评估

1. 写出下列词语的拼音。

   公共汽车、火车站、希望、洗澡、留言、迎接

2. 把下面的汉语句子翻译成英语。

   (1) 她正在洗澡。

   (2) 让她给我打电话。

   (3) 你要留言吗？

13 我想当律师

一、教学目的

1. 学习介绍家庭；

2. 学习说明理想；

3. 学习表示歉意。

二、教学内容

1. 交际功能：(1) 介绍家庭

(2) 说明理想

(3) 表示道歉

2. 语言要点：时间名词“以前”和“现在”

3. 语音教学：(1) 听力练习（录音文本见本课“参考资料”）

(2) 辨音练习（录音文本见本课“参考资料”）

(3) 朗读练习（文本见本课“参考资料”）

4. 汉字教学：继续学习认字、写字

三、教学建议

课堂训练策略：关于课堂活动

如果有时间，教师可以根据学生的兴趣组织有关各个职业的好处与缺点的讨论。

四、参考资料

1. 课文注释与语法说明

(1) 谁来介绍一下自己的家庭？

这个句子里的“谁”是疑问代词，在句子中作主语。再看几个句子：

谁想去看电影？

谁在打篮球？

谁是从日本来的学生？

(2) 我爸爸以前在大学教书。

“以前”是名词，用来表示时间，可以单独使用，也可以放在动词、动词短语或名词后使用。看几个例子：

以前他是一个性格开朗的人。

来北京以前他在中学教书。

这件事必须在春节以前完成。

2. 语音教学

(1) “听力练习”录音文本

我的名字叫小全。我家以前有三口人：爸爸、妈妈和我。我爸爸在大学教书，妈妈在小学教书。去年，爸爸跟妈妈离婚了，现在我跟妈妈住在一起。爸爸现在在一个研究所工作，妈妈现在当秘书。

问题：①小全家现在有几口人？（一口人、两口人、三口人、四口人）

②小全的爸爸以前干什么工作？（在研究所工作、在大学教书、在小学教书、当秘书）

③小全现在跟谁住在一起？（跟妈妈住在一起、跟爸爸住在一起、跟爸爸和妈妈住在一起、他一个人住）

答案：①两口人 ②在大学教书 ③跟妈妈住在一起

(2) “辨音练习”录音文本

老　师：你们谁最爱国？

学生A：我。我从来不买外国的东西。

学生B：我。我从来不看外国的电影。

学生C：我。我的外语考试从来不及格。

(3) “朗读练习”汉字文本

知了知了不做事，只在树上唱“知了”。

夏天去了秋来到，知了知了不再叫。

这是一首儿歌，“知了”的学名叫“蝉”，夏天天气最热的时候，这种昆虫在树上扇动翅膀，发出好像“知了”一样的声音。

教师可以根据学生的兴趣和要求先讲解给他们听，再帮助他们练习朗读。

3. 汉字教学：部件介绍

式——“试”字的声符。以“式”为声符的字还有“弑”“轼”等，它们都读

“shì”。作为部件，在书写时应该比单独的字瘦窄一些。

乍——“作”字的组字部件。“乍”与“作”的古代读音很相近，所以按照传统的六书理论，“乍”是“作”的声符字，但这两个字在现代的读音差别很大，“乍”只能是记号了。以“乍”为部件的字还有“诈”“炸”“窄”“昨”等。其中“诈”“炸”与“乍”读音相近，“乍”可以看做是这两个字的声符。这些字的读音如下：乍(zhà)、作(zuò)、诈(zhà)、炸(zhá、zhà)、窄(zhǎi)、昨(zuó)。作为部件，书写时应该比单独的字瘦窄一些。

聿——“律”字的组字部件。“聿”字的读音是“yù”，与“律”的现代读音差异不大，也可以看做声符。在古代，它们的读音是相近的。

必——“秘”字的组字部件。作为部件，书写时应该比单独的字瘦窄一些。

五、评估

1. 写出下列词语的拼音。

以前、忙、特别、大学、将来、照片、离婚、研究所、律师、秘书

2. 把下面的汉语句子翻译成英语。

(1) 你将来想干什么？

(2) 他以前是律师，现在是老师。

(3) 他妈妈特别忙。

3. 选词填空。

以前　现在　将来

(1) 我 _____ 正在看书。

(2) 你 _____ 打算做什么工作？

(3) 他 _____ 是老师，_____ 可能还是老师。

(4) 我知道那个地方，我 _____ 去过。

14 我们应该庆祝一下

一、教学目的

学习向他人征求意见。

二、教学内容

1. 交际功能：向他人征求意见

2. 语言要点：(1)助动词“应该”

(2)副词“还”（表持续）

(3)语气助词“了”（表示新情况的出现）

3. 语音教学：(1) 听力练习（录音文本见本课“参考资料”）

(2)辨音练习（录音文本见本课“参考资料”）

(3)朗读练习（文本见本课“参考资料”）

4. 汉字教学：继续学习认字、写字

三、教学建议

课堂训练策略：关于课堂活动

如果最近有本班同学过生日，可以征求同学们的意见，给“小寿星”写生日卡片，举办一次生日庆祝活动。

四、参考资料

1. 课文注释与语法说明

(1) 课文注释

① 我们应该庆祝一下。

“应该”是助动词，在这里表示情理上的需要。否定用“不应该”。再看几个例子：

我们是学生，应该好好学习。

我们长大了，应该学会关心父母。

老师不应该打击学生的积极性。

② 小龙还在睡觉。

我们在第一册学过“还”的一个用法是有所补充。在这个句子里，副词“还”表示动作或状态的持续。例如：

已经是秋天了，天还很热。

他还在那所学校教书。

我还不习惯这里的生活。

他的病还没好。

(2) 语法说明：语气助词“了”(二)

语气助词“了”还可以表示一种新情况的出现，或者说表示变化。“了”可以出现在动词谓语句、形容词谓语句的末尾，也可以出现在名词谓语句的末尾。课文中的句子“她十六岁了”，就是一个名词谓语句。再看几个例子：

我以前没有电脑，现在有了。

上午下雨，下午天晴了。

树叶红了。

现在是春天了。

他已经是大学生了。

今天星期六了。

已经八点了。

2. 语音教学

(1) “听力练习”录音文本

我哥哥要过16岁生日，我们都觉得应该庆祝一下。我说，我们给哥哥开一个生日晚会；爸爸说，我们一起去钓鱼；妈妈说，做一个蛋糕。我和哥哥都觉得钓鱼是一个好主意。可是今天早上，已经9点了，爸爸还在睡觉。他已经忘了这件事。

问题：①女孩儿的哥哥多大了？（16岁、17岁、18岁、19岁）

②他们打算怎么庆祝哥哥的生日？（睡觉、钓鱼、吃蛋糕、开晚会）

③今天早上爸爸在干什么？（钓鱼、做蛋糕、睡觉、庆祝哥哥的生日）

答案：① 16岁 ②钓鱼 ③睡觉

(2) “辨音练习”录音文本

白云批评乌云，它说：“我是云，你也是云。我很干净，也很漂亮。可是你很黑，很丑。画家喜欢我，作家也喜欢我，可是人们都不喜欢你。”

(3) “朗读练习”汉字文本

鱼儿鱼儿水中游，游来游去乐悠悠；

累了卧水草，饿了吃小虫；

乐悠悠，乐悠悠，水晶世界任自由。

这是一首儿歌。教师可以根据学生的兴趣和要求先讲解给他们听，再帮助他们练习朗读。

3. 汉字教学：部件介绍

兄 ——“祝”字的组字部件。作为部件，在书写时应该比单独的字瘦窄一些。

廴 ——“建”字的意符。以“廴”为意符的字其意义多与行走有关，如“延”“廷”等。

井 ——“进”字的组字部件。“进”是简体字，繁体字写作“進”。以“井”为部件的字还有简体字“讲”等。

勺 ——“钓”的组字部件。“勺”(sháo) 与“钓”(diào) 古音相近，但在现代二者的读音有些差异。作为部件，在书写时应该比单独的字瘦窄一些。

4. 文化

十八岁生日

中国的孩子传统上通常要过几个重要的生日。一个是一岁生日，父母给孩子过这个生日，是要祝贺他（她）顺利度过了来到这个世界上的第一年。第二个重要的生日是十二岁生日，这个生日的意义在于孩子已经度过了无忧无虑的快乐的童年时代，过了十二岁，一个孩子不再受到父母那么多的照顾，他（她）已经有了一定的独立生活能力。第三个重要的生日是十八岁生日，这个生日标志着一个孩子已经长大成人，中国的法律也规定自十八岁之后，一个人就具有了选举权。

五、评估

1. 写出下列词语的拼音。

生日、建议、主意、谢谢、应该、睡觉、小时、庆祝、晚会、出发

2. 把下面的汉语句子翻译成英语。

(1) 你有什么建议？

(2) 这是一个好主意！

(3) 我们应该给她开一个生日晚会。

(4) 我们一个小时以后出发。

15 一次野餐

一、教学目的

1. 复习本单元所学内容；

2. 学习了解天气情况。

二、教学内容

1. 交际功能：(1) 了解天气情况

(2) 看、听天气预报

2. 语言要点：复习副词“在”和“还”

3. 语音教学：(1) 朗读练习（录音文本见本课“参考资料”）

(2) 学唱汉语歌

4. 汉字教学：继续学习认字、写字

三、教学建议

1. 课堂训练策略：关于课堂活动

除了讲述自己经历过的有趣的事情外，还可以组织学生制作一周天气日记。让学生两个人一个小组，把最近一周的天气变化用图表示出来。例如：

	星期一	星期二	星期三	星期四	星期五	星期六	星期日
白天	晴天，80°F						
晚上	阴天，60°F						

2. 关于写作：可要求学生用电脑完成。

四、参考资料

1. 语音教学：关于“朗读练习和唱歌”

家家都有爸爸妈妈，

人人都有爸爸妈妈。

爸爸妈妈为我们操劳一生，

爸爸妈妈为我们累出白发。

教师可以根据学生的兴趣和要求先讲解给他们听，帮助练习朗读，再让他们学唱。

2. 补充阅读材料：成语故事二则

(1) 画蛇添足

古时候，有几个人得到一壶酒。因为大家都想喝这壶酒，所以他们决定比赛画蛇，谁先画完，谁喝这壶酒。一个人先画完了，他看见别人还在画，就说："我已经画完了，我还有时间画蛇的脚。"他还在画蛇脚的时候，另一个人画完了，把酒拿过去喝了。那个人告诉他说："蛇没有脚，你画了脚，就不是蛇了。"

(2) 郑人买履

从前有一个人，他打算去买鞋。他在家里量好自己的脚，做了一个尺码。他打算拿这个尺码去市场买鞋。到市场以后，他发现他把尺码忘在家里了。怎么办呢？他决定回家去取尺码。卖鞋的人问他："您为什么不用自己的脚试一试鞋呢？"他说："我只相信尺码。"等他从家里回到市场的时候，市场已经散了，卖鞋的人已经回家了。

3. 汉字教学：部件介绍

夬——"决"字的组字部件。"夬"与"决"在古代读音相近，所以按照传统的"六书"理论，"决"以"夬"为声符。但两字的现代读音相去甚远，所以现在"夬"只能看做是"决"的"记号"了。以"夬"为部件的字还有"快""块""诀""抉"等。这些字的读音如下：决 (jué)、诀 (jué)、抉 (jué)、快 (kuài)、块 (kuài)。作为部件，在书写时应该比单独的字瘦窄一些。

爰——"暖"字的组字部件。"爰"与"暖"在古代读音相近，所以按照传统的"六书"理论，"爰"是"暖"的声符。但两字的现代读音有些差异，所以一般只把"爰"看做"暖"的组字部件。以"爰"为部件的字还有"援""媛"等。这两个字与"爰"读音相同，都是以"爰"为声符。这些字的读音如下：爰 (yuán)、暖 (nuǎn)、援 (yuán)、媛 (yuán)。作为部件，在书写时应该比单独的字瘦窄一些。

阝——"阴"字的意符。"阝"是"阜"字作为部件的变体，俗称"左耳旁"，其本义是高地。"阴"字本指山的背面见不到阳光的地方，从而又有了"阴暗"的意思。以"阝"为意符的字其意义多与"高地"或"地势"有关，如"阳""陆""阻""降"

“险”“陷”等。

昷——“温”字的组字部件。“昷”与“温”古音相近，故“温”以“昷”为声符。但两字的现代读音有些差异，只能看做是组字部件。以“昷”为部件的字还有“愠”“蕴”“瘟”等。这些字的读音如下：温 (wēn)、愠 (yùn)、蕴 (yùn)、瘟 (wēn)。

首——“道”字的部件。“首”与“道”古音相近，所以按传统的“六书”理论，“首”是“道”的声符。但两字的现代读音相去甚远，“首”只能看做是组字部件。作为部件，在书写时应该比单独的字瘦窄一些。

五、评估

1. 写出下列词语的拼音。

暖和、天气、知道、野餐、发现、温度、地图、风景

2. 把下面的汉语句子翻译成英语。

(1) 我们全家决定去野餐。

(2) 妈妈发现弟弟不在车上。

(3) 上个星期六天气很暖和。

第三单元评估与测验

1、请把词语和拼音连接起来。

(1) 贺卡	liúyán
聊天	diànhuà
电话	zhàopiàn
留言	hèkǎ
照片	liáotiān
(2) 律师	zhǔyi
主意	chūfā
电脑	nuǎnhuo
暖和	lǜshī
出发	diànnǎo

2、请把汉语句子和它们的英语意思连接起来。

(1) 这副手套很漂亮。	a. I'd like to be a lawyer.
(2) 你要留言吗?	b. The set of gloves are very beautiful.
(3) 我想当律师。	c. What suggestions do you have?
(4) 你有什么建议?	d. We all family members decided to picnic.
(5) 我们全家决定去野餐。	e. Would you leave a message?

3、阅读理解。

圣诞节的时候，安妮的妈妈送给她一副手套，安妮非常高兴。安妮的妹妹也非常高兴，因为她的围巾丢了，妈妈送给她一条围巾。安妮的家庭非常幸福。安妮的爸爸以前在大学教书，现在在一个研究所工作。安妮的妈妈以前是老师，现在是律师。安妮将来也想当律师。

判断对错（T/F）：

1. 安妮的妈妈送给安妮一副手套。(　　)

2. 安妮的妈妈也送给安妮的妹妹一副手套。(　　)

3. 安妮的爸爸以前在一个研究所工作。(　　)

4. 安妮的妈妈现在是律师。(　　)

5. 安妮将来想当老师。(　　)

第四单元　饮食与健康

单元介绍

这个单元的话题涉及饮食、减肥、疾病、健康等方面。在语言功能上涉及在快餐店点菜，表达对饮食的需要和满足，劝他人做某事，谈论减肥，说明身体或疾病的情况，买药以及学习某种运动等等。在语言结构上主要介绍动态助词“了”和结果补语，以及与之相关的一些结构。

16 早饭你吃了什么

一、教学目的

学习表达对食物的喜好和需求。

二、教学内容

1. 交际功能：表达对食物的喜好和需求

2. 语言要点：动态助词“了”表示动作、行为的实现

3. 语音教学：(1) 听力练习（录音文本见本课“参考资料”）

(2) 辨音练习（录音文本见本课“参考资料”）

(3) 朗读练习（文本见本课“参考资料”）

4. 汉字教学：继续学习认字、写字

三、教学建议

课堂训练策略：关于练习

可以结合“你来说一说”，就同学们爱吃的食物以及中餐和西餐展开讨论。

四、参考资料

1. 课文注释与语法说明

(1) 你怎么不吃点儿面包？

疑问代词“怎么”可以用来询问原因。例如：

你今天怎么没去学校？

他怎么还没来？

商场里的人怎么这么多？

注意：与“为什么”相比，“怎么”在询问原因时多含有明显的奇怪、诧异的因素，而“为什么”通常主要用来询问原因。如果问话的人只想询问原因，而没有诧异的因素，那么通常只用“为什么”，而不用“怎么”。

(2) 动态助词“了”

动态助词“了”位于动词后，表示动作、行为的实现。如果动词有宾语，宾语一般要有数量词或其他定语。例如：

昨天我看了一场电影。

他买了很多水果。

他选了三门课。

我早餐只喝了一杯牛奶。

如果宾语前没有定语，而只是简单宾语，那么后边还要有其他成分才能构成完整的句子。例如：

他吃了饭就离开了。

他买了水果了。

动态助词“了”只表示动作、行为的实现，与时间没有必然联系，因此它既可以表示过去实现的行为，也可以表示将来实现的行为。例如：

明天中午我吃了饭就去找你。

有动态助词“了”的句子的否定形式是在动词前加“没”或“没有”，去掉后面的“了”。如果宾语前有数量词，其否定形式则一般不需要数量词。例如：

你买了几斤苹果？/我没买苹果。

昨天我没看电影。

我没选课。

他没吃饭就离开了。

注意：动态助词“了”不等于英语中的“过去时”。英语中表达过去经常性的动作要用过去时，而汉语表示过去经常性的动作则不能用“了”。例如：

我以前经常去那个餐馆吃饭。

我上小学的时候，每天早上六点起床。

学生容易出现的错误是在动词后加“了”。如：我以前经常去了那个餐馆吃饭。教学中注意学生因将“了”与英语中的过去时相对应而出现的错误。

2. 语音教学

(1)“听力练习”录音文本

男生：今天早上我吃了一个面包、两个鸡蛋，还喝了一杯牛奶。

女生：今天中午我吃了一个三明治，喝了一杯可口可乐，还吃了两个香蕉。

男生：昨天晚上我弟弟吃了20个饺子，一碗面条，一碗鸡蛋汤。可是他还说："我没吃饱！"

问题：①这个女孩中午吃的什么？（饺子、面包、鸡蛋、三明治）

②谁吃了两个鸡蛋？（男学生、女学生、女学生的弟弟、男学生的弟弟）

③那个男孩早上吃的什么？（面条、三明治、香蕉、鸡蛋）

答案：①三明治 ②男学生的弟弟 ③鸡蛋

(2) "辨音练习"录音文本

老　师："古时候的人怎么取火？"

学生A："用打火机打火。"

学生B："用旧报纸点火。"

(3) "朗读练习"汉字文本

A：玛丽，玛丽，我问你，我想吃饭去哪里？

B：家明，家明，别着急，我们两个一起去，前面的饭馆很便宜。

C：二位顾客请往里，我把菜单递给你。

A：我来一条大鲤鱼。

B：我来一瓶二锅头，还要一只香酥鸡。

C：你们的酒菜都到齐，一共三十七块八毛一。

A、B：谢谢你，麻烦你！

C：二位顾客别客气，饭后付款我来取！

这是一段快板书，"快板书"是中国民间的一种曲艺形式，说的时候要用竹板打拍子。教师可以根据学生的兴趣和要求先讲解给他们听，帮助他们练习有节奏地朗读。

3. 汉字教学：部件介绍

不——"杯"字的组字部件。以"不"为部件的字还有"坏""否"等。

普——"谱"字的声符。作为部件，在书写时应该比单独的字瘦窄一些。

肉——"腐"字的意符。"腐"本指腐烂的肉，后来引申为抽象的含义，如"腐败""腐朽"等。以"肉"为意符的字其意义多与肉或肉制品有关。

乞——"吃"字的组字部件。"乞"与"吃"在现代读音差异很大，但在古代汉语中，二者读音相近，"乞"是"吃"的声符。在现代汉字中，以"乞"为声符的字有"迄""讫"等。这几个字的读音是：乞(qǐ)、吃(chī)、迄(qì)、讫(qì)。作为部件，在书写时应该比单独的字瘦窄一些。

4. 文化

中国人的早餐

中国人吃早饭的习惯与西方人有很大的不同。人们早上喜欢喝粥，粥的种类很多，比如米粥、豆粥、八宝粥等，另外很多人喜欢喝豆浆、吃豆腐脑。中国人早餐也喜欢吃鸡蛋，但一般都吃煮鸡蛋，而不是煎鸡蛋。油条可以说是中国人早餐中最具特色的食物，这是一种条形的油炸面食，吃起来香而脆。当然，中国人吃早饭时也常吃一些咸菜之类的小菜。近年来，中国人的食物结构也发生了很大变化，比如越来越多的人早上会喝一些牛奶。

五、评估

1. 写出下列词语的拼音。

   早饭、鸡蛋、香蕉、面包

2. 把下面的汉语句子翻译成英语。

   (1) 昨天晚饭你吃了什么？

   (2) 我不爱吃面包。

   (3) 我喝了一杯牛奶，吃了两个鸡蛋和一个香蕉。

3. 判断下列句子中“了”的位置。

   (1) 他A 早餐B 只喝C 一杯牛奶D。(　　)

   (2) 他A 打算B 吃C 饭就离开D。(　　)

   (3) 我A 买B 一台C 电脑D。(　　)

   (4) 昨天A 杰克去B 书店C 买D 一本书。(　　)

   (5) 老师A 教B 我们C 十个生词D。(　　)

   (6) 我现在A 会B 说C 汉语D。(　　)

17　我喜欢喝茶

一、教学目的

学习邀请别人一起做某事。

二、教学内容

1. 交际功能：邀请别人一起做某事

2. 语言要点：(1)“又……又……”结构

(2) 副词“最”

3. 语音教学：(1) 听力练习（录音文本见本课“参考资料”）

(2) 辨音练习（录音文本见本课“参考资料”）

(3) 朗读练习（文本见本课“参考资料”）

4. 汉字教学：继续学习认字、写字

三、教学建议

课堂训练策略：关于课堂活动

可以给同学们介绍一些有关茶文化的知识以及中国人饮茶的习惯。老师可以将饮茶文化与语言练习相结合，组织同学们表演。

四、参考资料

1. 课文注释与语法说明

(1) 我饿了。

“饿”是形容词，“了”是语气助词，用在形容词谓语句的末尾，表示性质、状态的变化。例如：

树叶黄了。

天冷了。

菜凉了。

(2) 我又饿又渴。

“又……又……”这一结构可以用来表示两个动作同时进行或状态、情况累积在一起。“又”的后面可以跟动词或形容词。例如：

她又生气，又难过。

这儿的冬天又冷又湿。

她高兴得又唱又跳。

(3) 我请你喝咖啡。

这个句子是兼语句，请参看第十二课的语法说明。

(4) 我最喜欢喝茶。

“最”是副词，可以用在形容词、方位词和某些表示情绪、评价、印象、态度等内心抽象活动的动词前边。例如：

最左边的那本书是我的。

天安门广场是世界上最大的广场。

我最不喜欢喝茶。

我最了解他。

2. 语音教学

(1)“听力练习”录音文本

女人：我饿了。

男人：我请你吃饭。你喜欢吃面包、面条，还是饺子？

女人：我爱吃三明治。我现在也很渴。

男人：我请你喝饮料。你喜欢喝什么，茶、牛奶还是咖啡？

女人：我喜欢喝可口可乐。

男人：前边有个麦当劳店，我们去那儿吃点儿东西吧。

问题：①女人怎么了？（吃饭了，饿了，睡觉了，上学了）

②女人喜欢吃什么？（面包、面条、三明治、饺子）

③女人喜欢喝什么？（茶、可口可乐、牛奶、咖啡）

答案：①饿了 ②三明治 ③可口可乐

(2)“辨音练习”录音文本

孩子：爸爸，“醉”是什么意思？

爸爸：你看，那里有两个警察，如果我告诉你是四个，那就是说，我醉了。

孩子：可是，爸爸，现在那里只有一个警察呀！

(3)“朗读练习”汉字文本

离离原上草，一岁一枯荣。

野火烧不尽，春风吹又生。

中国唐朝诗人白居易16岁时作了一首诗，题为《赋得古原草送别》。以上是这首诗中最有名的几句，歌颂了顽强的生命力。意思是说：茂盛的原上草啊，每年生长一次枯萎一次，熊熊的野火烧不尽它，当春风吹来的时候，它又旺盛地生长起来了。

教师可以根据学生的兴趣和要求先讲解给他们听，帮助他们练习朗读。

3. 汉字教学：部件介绍

官——“馆”字的声符。以“官”为声符的字还有“管”等。这些字的读音如下：官(guān)、馆(guǎn)、管(guǎn)。

非——“啡”字的声符。以“非”为声符的字还有“菲”“绯”等。作为部件，在书写时应该比单独的字瘦窄一些。

加——一般将“加”看做是“咖”字的声符，但两个字的读音有些差异：加(jiā)、咖(kā)。“咖啡”是英文“coffee”的音译。以“加”为声符的字还有“架”“驾”“嘉”等。这些字的读音如下：加(jiā)、咖(kā)、架(jià)、驾(jià)、嘉(jiā)。

4. 文化

茶在中国

可以说，无论是中国人还是外国人都喜欢喝茶，但中国人喝茶一般是不加牛奶和糖的。

传说是距今五、六千年前的神农氏最早发现了茶。到距今约两千年前的汉魏时期，中国人不仅喝茶，还有人用茶做成茶饼来吃。到了距今约一千多年前的唐朝，茶叶不再是达官显贵的奢侈品，而成了文士乃至普通人的消费品。特别值得一提的是，唐朝有个叫陆羽的人写了一本名为《茶经》的书，对茶的普及与采制有很大的贡献，因此陆羽被后世尊为“茶圣”。千百年来，中国人在采茶、制茶、储茶、泡茶、饮茶等方面积累了丰富的知识和经验，逐步形成了历史悠久的“茶文化”。

中国茶叶的品种很多，一般来说有绿茶、红茶、乌龙茶、花茶、白茶、紧压茶六大类，而龙井茶、碧螺春茶、茉莉花茶、铁观音茶等都是上述不同品种茶叶中的著名品牌。

五、评估

1. 写出下列词语的拼音。

   咖啡、饭馆、东西、饿、渴、文化

2. 把下面的汉语句子翻译成英语。

   (1) 我饿了。

   (2) 我又饿又渴。

   (3) 现在有些中国人也爱喝咖啡。

3. 在横线上填上适当的量词。

   一_____茶　一_____牛奶　一_____可乐　一_____咖啡

   一_____粥　一_____面条　一_____米饭

18 我吃饱了

一、教学目的

学习说明饮食行为的结果。

二、教学内容

1. 交际功能：说明饮食行为的结果
2. 语言要点：结果补语
3. 语音教学：(1) 听力练习（录音文本见本课“参考资料”）
(2) 辨音练习（录音文本见本课“参考资料”）
(3) 朗读练习（文本见本课“参考资料”）
4. 汉字教学：继续学习认字、写字

三、教学建议

课堂训练策略

(1) 关于课堂活动

有条件的话，可以组织一次自助餐聚会，请每个同学都带着自己做的一样菜来学校，相互品尝并交换菜谱。

(2)关于练习

在学生用书的“On your own”练习中，有“verb + result”结构的练习。“补语”一词英文译为“complement”，但为了使学生容易理解，我们选择了“result”这个词。

四、参考资料

1. 课文注释与语法说明

(1) 课文注释

① 你只吃了一片面包，太少了。

“只”在这个句子里是副词，读 zhǐ，有主观上认为数量少的意思。例如：

我只吃了一个小面包。

这个班只有十几个人。

他只看了一会儿就走了。

这个学期他只选了三门课。

这个句子里的“了”是动态助词，参考第十六课的“语法说明”。

② 你再喝一杯果汁，怎么样？

“再”是副词，在这个句子里，它表示“喝”这一动作的重复。再看几个例子：

我没听懂，请你再说一遍。

他打算再选一门课。

我想再吃一个苹果。

别伤心，我们还会再见面。

注意：“再”表示动作的重复，一般指未实现的。已经实现的，一般用副词“又”。这在以后的课文中会遇到。

(2) 语法说明：结果补语

在汉语中，当要说明一个动作产生某种具体结果时，要用结果补语。结果补语是在动词后边加动词或形容词构成的。我们看下面的句子：

我已经做完作业了。

医生治好了他的病。

我说错了。

我听懂了老师的话。

这些句子中的“完”“好”“错”“懂”都是结果补语。

结果补语的否定形式是在动词前加“没”或“没有”。如果肯定句的末尾或结果补语后有助词“了”，否定形式则要将“了”去掉。例如：

我没做完作业。

医生没治好他的病。

我没说错。

我没听懂老师的话。

注意：结果补语不仅表示已经产生的结果，也可以表示将来可能产生的结果。例如：我一定要学好汉语。

2. 语音教学

(1) “听力练习”录音文本

女生：Tom，你饿了吧？

男生：我不饿，我吃饱了。

女生：你吃了什么？

男生：我吃了鸡蛋炒饭。

女生：鸡蛋炒饭怎么做？

男生：你需要准备一些米饭、两个鸡蛋和葱、油、盐。

女生：下次你教我做吧。

男生：好啊！

问题：①男学生饿不饿？（很饿、有点儿饿、不饿）

②男学生吃了什么？（面包、鸡蛋、米饭、鸡蛋炒饭）

③做鸡蛋炒饭不需要准备什么？（鸡蛋、米饭、盐、糖）

答案：①不饿 ②鸡蛋炒饭 ③糖

(2)"辨音练习"录音文本

孩子：爸爸，奶奶的胆子太小了。

爸爸：为什么？

孩子：每次我和她一起过马路，她一定紧紧抓住我的手。

(3)"朗读练习"汉字文本

哥哥植树，弟弟买醋，植树的数数，买醋的找路。

这是一段绕口令，教师可以根据学生的兴趣和要求先讲解给他们听，再帮助他们练习朗读。

3. 汉字教学：部件介绍

包——"饱"字的声符。以"包"为声符的字还有"抱""胞"等。"炮""跑""泡"这几个字也都含有"包"这一部件，按照传统的"六书"理论，它们都以"包"为声符，但它们的现代读音与"包"有差异，所以"包"现在只能看做是"炮""跑""泡"这几个字的"记号"了。这些字的读音如下：包(bāo)、饱(bǎo)、抱(bào)、胞(bāo)、炮(pào)、跑(pǎo)。

句——"够"字的部件。"句"与"够"在古代读音相近，所以按照传统的"六书"理论，"句"是"够"的声符，但两字的现代读音差异很大，所以现在"句"只能看做是"够"字的部件了。以"句"为部件的字还有"狗""驹""拘"等。其中"驹""拘"与"句"读音相近，可以看做是以"句"为声符。这些字的读音如下：句(jù)、驹(jū)、拘(jū)、狗(gǒu)。

⺌——“尝”字的组字部件。以“⺌”为部件的字还有“常”“裳”等。

十——“汁”字的组字部件。“十”与“汁”在古代读音相近，所以按照传统的“六书”理论，“十”是“汁”的声符，但“汁(zhī)”的现代读音与“十(shí)”不同，所以“十”现在只能看做是“汁”字的部件了。作为部件，在书写时应该比单独的字瘦窄一些。

五、评估

1. 写出下列词语的拼音。

   果汁、忘记、做饭

2. 把下面的汉语句子翻译成英语。

   (1) 我已经吃饱了。

   (2) 我学会做饭了。

   (3) 鸡蛋炒饭很好吃，只是有点儿淡。

3. 用适当的动词加结果补语填空。

   (1) 老师，您说的话我没 _______，请再说一遍好吗？

   (2) 今天的作业不多，我已经 _______。

   (3) 我 _______ 了，不想再吃了。

   (4) 明天就要考试了，可是我还没 _______。

   (5) 你的自行车已经 _______ 了。

19 我的手摔伤了

一、教学目的

1. 学习说明疾病症状；

2. 学习建议他人做某事。

二、教学内容

1. 交际功能：(1) 说明疾病的症状

(2) 建议他人做某事

2. 语言要点：副词“最好”

3. 语音教学：(1) 听力练习（录音文本见本课“参考资料”）

(2) 辨音练习（录音文本见本课“参考资料”）

(3) 朗读练习（文本见本课“参考资料”）

4. 汉字教学：继续学习认字、写字

三、教学建议

课堂训练策略：关于课堂活动

可以让同学们把家里的空药瓶带到学校，谈一谈生什么病吃什么药。

四、参考资料

1. 课文注释与语法说明

(1) 你的手怎么了？

“怎么”是疑问代词，在这个句子里用来询问状况，在句子中作谓语。“了”是语气助词。“……怎么了”通常用来询问新出现的状况，常含有吃惊的语气。例如：

小王怎么了？他生病了吗？

这棵树怎么了？掉了这么多叶子。

(2) 你最好去检查一下。

“最好”是一个习用语，表示最理想的选择，可以用来向别人提出建议。再看几个句子：

你最好穿这件衣服。

你感冒了，最好在家休息一天。

你最好少吃肉。

2. 语音教学

(1) “听力练习”录音文本

女孩：你好，有没有咳嗽药？

男人：对不起，咳嗽药卖完了。你哪儿不舒服？

女孩：我嗓子疼，咳嗽。

男人：你试试这种润喉片吧！

问题：①女孩要买什么？（头疼药、感冒药、咳嗽药、润喉片）

②女孩哪儿不舒服？（头疼、腿疼、流鼻涕、咳嗽）

③有没有咳嗽药？（有、没有）

答案：①咳嗽药 ②咳嗽 ③没有

(2) “辨音练习”录音文本

爸爸：Tom，你们班新来的老师怎么样？

Tom：他是个好老师。可是，你不能相信他。

爸爸：为什么？

Tom：开始的时候，他说3+3=6，可是，后来他又说2+4=6。

(3) “朗读练习”汉字文本

水上一座楼，没腿四处走。

四海传友谊，它是好帮手。

这是一个谜语，谜底是“轮船”。教师可以根据学生的兴趣和要求先讲解给他们听，让他们猜一猜，再帮助他们练习朗读。

3. 汉字教学：部件介绍

率——“摔”字的声符。以“率”为声符的字还有“蟀”等。这些字的读音如下：率(shuài)、摔(shuāi)、蟀(shuài)。

闰——“润”字的声符。作为部件，书写时应该比单独的字瘦窄一些。

自——“鼻”字的组字部件。以“自”为部件的字还有“咱”等。

弟——“涕”字的组字部件。“弟”与“涕”在古代读音相近，所以按照传统的

“六书”理论，“弟”是“涕”字的声符，但这两个字的现代读音有些不同，所以现在“弟”只能看做是“涕”的部件了。以“弟”为部件的字还有“递”“梯”“剃”等。其中“递”与“弟”读音相同，是以“弟”为声符。这些字的读音如下：弟(dì)、递(dì)、涕(tì)、梯(tī)、剃(tì)。

五、评估

1. 写出下列词语的拼音。

   可能、有点儿、感冒、咳嗽、不舒服

2. 把下面的汉语句子翻译成英语。

   (1) 李大龙来晚了。

   (2) 他刚才不小心摔伤了。

   (3) 你最好去检查一下。

3. 选词填空。

   怎么　什么　哪儿　怎么样　谁

   (1) 暑假你打算去 _____？

   (2) 你的汉语老师是 _____？

   (3) 这是 _____ 的钱包？

   (4) 山区的天气 _____？

   (5) 去海边 _____ 走？

   (6) 圣诞节你希望得到 _____ 礼物？

   (7) 杰克今天 _____ 没来？

   (8) 这本书是 _____ 的？

20　叔叔请客

一、教学目的

1. 复习本单元所学内容；

2. 学习用汉语给别人讲述事情经过；

3. 学习写请假条。

二、教学内容

1. 交际功能：(1) 用汉语讲述事情经过

(2) 用汉语写请假条

2. 语言要点：复习结果补语

3. 语音教学：(1) 听力练习（录音文本见本课“参考资料”）

(2) 辨音练习（录音文本见本课“参考资料”）

(3) 朗读练习（文本见本课“参考资料”）

4. 汉字教学：继续学习认字、写字

三、教学建议

1. 课堂训练策略：关于课堂活动

除了写病假条，还可以组织学生谈一谈有关请客的趣事。

2. 关于写作：可要求学生用电脑完成。

四、参考资料

1. 课文注释与语法说明

(1) 他约我们在长城饭店见面。

“见面”是动词，但后面不能直接带宾语，不能说“见面某人”。如果需要说明见面的对象，应该说“和……见面”或“跟……见面”。如：今天下午我要跟朋友见面。

(2) 后来，我们想，……

“后来”在这个句子里是表时间的副词，指在过去的某一时间之后。例如：

我刚毕业的时候在北京工作，后来又去了上海。

去年我见过他一次，后来再也没见过他。

“以后”也表示某一时间之后，但二者不同：①“后来”只表示过去，而“以后”既可以表示过去，也可以表示将来。②“以后”可以单用，也可以作为后置成分，而“后来”只能单用。上面两个例子中的“后来”都可以用“以后”替换，但下面的句子中的“以后”都不能用“后来”：

从今以后，我要努力学习。

以后我要好好学习汉语。

从那以后，他再也没回过祖国。

2. 语音教学：关于“朗读练习和唱歌”

在那遥远的地方有位好姑娘，

人们走过她的帐房都要回头留恋地张望。

她那粉红的笑脸好像红太阳，

她那活泼动人的眼睛好像晚上明媚的月亮。

我愿抛弃了财产跟她去放羊，

每天看着那粉红的笑脸和那美丽金边的衣裳。

我愿做一只小羊跟在她身旁，

我愿她拿着细细的皮鞭不断轻轻打在我身上。

教师可以根据学生的兴趣和要求先讲解给他们听，让他们学习朗读，然后再学唱。

3. 补充阅读材料

(1) 有个人请客。时间快到了，客人还没有来齐。他很着急，说：“应该来的人还没有来。”一个已经来的客人听了他的话，想：主人是不是说我不应该来？他生气地走了。主人看见有客人走了，更着急了，说：“不应该走的人走了。”一个没有走的客人听见了他的话，想：走了的人是不该走的，那我就是该走的了？他也生气地离开了。请客的时间到了，但是已经没有客人了。

(2) 有一个人吃鸡蛋。他吃了一个鸡蛋，没有吃饱，又吃了第二个鸡蛋，还是没有吃饱。他又吃第三个、第四个……当他吃完第五个鸡蛋的时候，他吃饱了，他很生气地说：“如果知道吃了这个鸡蛋就能吃饱，我就先吃这个鸡蛋了。”

4．汉字教学：部件介绍

丙——“病”字的声符。以“丙”为声符的字还有“炳”“柄”等。这些字的读音如下：丙 (bǐng)、病 (bìng)、炳 (bǐng)、柄 (bǐng) 。作为部件，在书写时应该比单独的字瘦窄一些。

采——“菜”字的声符。以“采”为声符的字还有“彩”“踩”“睬”等。这些字的读音如下：采 (cǎi)、菜 (cài)、彩 (cǎi)、踩 (cǎi)、睬 (cǎi)。作为部件，在书写时应该比单独的字瘦窄一些。

尧——“烧”字的组字部件。“尧”和“烧”都是简化字，繁体写作“堯”“燒”。“尧”和“烧”在古代读音相近，所以按照传统的“六书”理论，“尧”是“烧”的声符，但两字的现代读音有差异，所以“尧”现在只能看做是“烧”的部件了。以“尧”为部件的字还有“浇”“侥”“跷”等。这些字的读音如下：尧 (yáo)、烧 (shāo)、浇 (jiāo)、侥 (jiǎo)、跷 (qiāo)。

五、评估

1. 写出下列词语的拼音。

   见面、生病、发烧、请假

2. 把下面的汉语句子翻译成英语。

   (1) 我叔叔请我们全家吃中国菜。

   (2) 他约我们在长城饭店见面。

   (3) 今天我生病了，我想请假。

第四单元评估与测验

1、请把词语和拼音连接起来。

(1) 早饭　　miànbāo

面包　　wénhuà

咖啡　　guǒzhī

文化　　zǎofàn

果汁　　kāfēi

(2) 忘记　　jiànmiàn

检查　　gǎnmào

感冒　　wàngjì

见面　　shēngbìng

生病　　jiǎnchá

2、请把汉语句子和它们的英语意思连接起来。

(1) 早饭你吃了什么？　　a. I'm full.

(2) 我又饿又渴。　　b. What did you eat in the morning?

(3) 我已经吃饱了。　　c. You'd better have a body-examination.

(4) 你最好去检查一下。　　d. I asked for a leave because of my illness today.

(5) 今天我生病了，向您请假。　　e. I'm starving and thirsty.

3、阅读理解。

王小雨家里有5口人：爸爸、妈妈、哥哥、王小雨和弟弟。爸爸喜欢吃西餐、喜欢喝咖啡。妈妈喜欢吃中国菜、喜欢喝茶。哥哥不喜欢吃西餐，爱吃中国菜，但是爱喝咖啡。小雨喜欢吃西餐，但是不爱喝咖啡。弟弟最爱吃麦当劳。

王小雨的妈妈觉得做饭很难，因为他们家每个人喜欢吃的东西都不一样。

判断对错（T/F）：

1. 王小雨的爸爸喜欢喝咖啡。(　　)
2. 王小雨的妈妈也喜欢喝咖啡。(　　)
3. 王小雨的哥哥喜欢吃中国菜。(　　)
4. 王小雨喜欢喝咖啡。(　　)
5. 王小雨的妈妈觉得做饭很容易。(　　)

第五单元　多彩的服装

单元介绍

这个单元话题的内容涉及谈论行为目的与穿着的关系，谈论出门携带的物品，谈论身体的高、矮、胖、瘦和年纪的大小，表达对别人的赞扬以及对称赞的回应等，并涉及中国传统文化中的属相。在语言功能上涉及对衣服和穿着的评价、比较东西的多少、比较道路的异同、比较年龄的大小和个子的高矮，比较房间的大小等等。在语言结构上主要介绍用“比”表示比较及与之相关的一些结构。

21 我穿什么好

一、教学目的

学习表达称赞。

二、教学内容

1. 交际功能：表达称赞

2. 语言要点：(1) 主谓短语作主语

(2) 语气词“呢”

(3) 副词“更”

3. 语音教学：(1) 听力练习（录音文本见本课“参考资料”）

(2) 辨音练习（录音文本见本课“参考资料”）

(3) 朗读练习（文本见本课“参考资料”）

4. 汉字教学：继续学习认字、写字

三、教学建议

课堂训练策略：关于课堂活动

除了练习称赞与回答，还可以让学生回忆自己有什么衣物，写一张自己衣物的清单。

四、参考资料

1. 课文注释与语法说明

(1) 课文注释

① 你在找什么呢？

“呢”是表疑问的语气助词，用在特指疑问句的末尾，起到缓和语气的作用。例如：

他是谁呢？

自行车放在哪儿呢？

他叫什么名字呢？

这个字怎么写呢？

② 白衬衫配红色的领带更好。

“更”是副词，用于比较，表示程度增高。使用“更”的句子多含有原来就有一定程度的意思。一般用于形容词或动词短语前。例如：

这件衣服比那件更漂亮。

这儿的冬天比北京更冷。

我更喜欢吃中国菜。

他比我更了解中国。

(2) 语法说明：主谓短语作主语

在汉语中，能够充当主语的词或短语很多，主谓短语也是其中之一。我们看课文中的句子：

你穿这件衣服真漂亮。

“你穿这件衣服”是主谓短语，是全句的主语；“真漂亮”是来描述、说明“你穿这件衣服”的，是全句的谓语。再看几个例子：

我们吃饭是为了活着。

他喜欢唱歌是大家都知道的事情。

2. 语音教学

(1) “听力练习”录音文本

女生甲：你穿这条牛仔裤真漂亮。

女生乙：哪里，哪里。今天你穿这条裙子也很好看。

女生甲：谢谢。你今天穿什么去参加晚会？

女生乙：我不知道。你说我穿什么好？

女生甲：你穿白衬衫配花裙子最好。

问题：①第二个女学生说什么？（哪里，哪里；谢谢；不客气；不知道）

②第一个女学生穿了什么？（裙子、牛仔裤、白衬衫、唐装）

③穿白衬衫配什么最好？（红领带、西装、牛仔裤、裙子）

答案：①哪里，哪里 ②裙子 ③裙子

(2) “辨音练习”录音文本

老师：Jerry，请你回答，月亮的直径是多少？

Jerry：1 738 公里。

Tom：不对，两个星期以前我们已经学了，是 3 476 公里。

Jerry：可是，你看，今天的月亮只有一半大。

(3) “朗读练习”汉字文本

少小离家老大回，乡音未改鬓毛衰。

儿童相见不相识，笑问客从何处来。

这是唐朝诗人贺知章的诗，题为《回乡偶书》。诗中说，诗人从小离开家乡，几十年后才回来，虽然诗人的家乡口音没有改变，但头发和胡须已经变稀疏、变白了。家乡的孩子们看见诗人都不认识，笑着问这位客人是从哪里来的。注意“衰”在这里读 cuī。

教师可以根据学生的兴趣和要求先讲解给他们听，然后再让他们学习朗读。

3. 汉字教学：部件介绍

壮 ——“装”字的声符。作为部件，书写时应该与单独的字略有不同。

4. 文化

中国学生的服装

可以说，中国学生的服装越来越丰富多彩了。走在大街上，随处可见背着五颜六色的书包、身着漂亮衣服的孩子们的身影。中国人常把孩子们比做“祖国的花朵”，真的，这些孩子们就像一朵朵小花绽放在每一个地方。当学校有庆祝活动或各类比赛时，中国学生一般要求穿统一的校服，佩戴本校的校徽。随着生活水平的不断提高，有些学生开始盲目追求“名牌”，特别是国外的一些名牌服装。这些服装价格都很贵，这引起了不少老师和家长的忧虑。但是多数学生，尤其是中国的大学生，他们的服装是非常随意的，他们喜欢穿物美价廉同时又能展示自己个性的服装。

五、评估

1. 写出下列词语的拼音。

衣服、服装、好看、漂亮、西装、领带、晚会

2. 把下面的汉语句子翻译成英语。

(1) 你穿这件衣服真漂亮！

(2) 哪里，哪里！

(3) 白衬衫配黑色的领带更好看。

22　这种鞋跟那种鞋一样

一、教学目的

学习表达比较。

二、教学内容

1. 交际功能：(1) 表达比较

(2) 征求他人意见

2. 语言要点：跟……一样

3. 语音教学：(1) 听力练习（录音文本见本课“参考资料”）

(2) 辨音练习（录音文本见本课“参考资料”）

(3) 朗读练习（文本见本课“参考资料”）

4. 汉字教学：继续学习认字、写字

三、教学建议

课堂训练策略：关于课堂活动

可以请同学们把一些衣物带到学校，进行实际的搭配和展示。

四、参考资料

1. 课文注释与语法说明

(1) 这种鞋跟那种鞋一样。

“A跟B一样”这一结构用来表示比较的结果相同。“跟”是介词，用来引进比较的对象。“一样”是形容词，在这个句子里作谓语。

否定形式通常是“A跟B不一样”。例如：

这件衣服跟那件不一样。

英语的发音跟法语不一样。

(2) 穿运动鞋参加婚礼不太合适。

这个句子的主语是由动词短语“穿运动鞋参加婚礼”来充当的，“穿运动鞋参加婚礼”又是一个连动结构。“不太合适”是对这一主语的评价和说明，是全句的谓语。

2. 语音教学

(1) “听力练习”录音文本

男生：我想买双皮鞋，参加晚会的时候穿。我买哪种好？

女生：这双好，这双漂亮。

男生：这双跟那双一样，它们都是黑色的。

女生：这双跟那双不一样，这双漂亮！

男生：好吧，我买这双。

问题：①男学生要买什么鞋？（皮鞋、运动鞋）

②他买鞋干什么？（郊游、野餐、听音乐、参加晚会）

③他要买的鞋是什么颜色的？（灰色、红色、黑色、蓝色）

答案：①皮鞋 ②参加晚会 ③黑色

(2) “辨音练习”录音文本

妈妈：Tom，喝牛奶对身体有好处。

Tom：为什么？

妈妈：以后你的力气跟牛一样大。

Tom：那样的话，以后我不吃猪肉了。

妈妈：为什么？

Tom：吃猪肉的人一定跟猪一样笨。

(3) “朗读练习”汉字文本

他说船比床长，你说床比船长。

我说船不长，床也不长，船跟床一样长。

这是一段绕口令，安排在这里，也是为了配合“比较”的表达。教师可以根据学生的兴趣和要求先讲解给他们听，然后再让他们学习朗读。

3. 汉字教学：部件介绍

臼——“舅”字的声符。作为部件，在书写时应该与单独的字略有不同。

舌——“适”字的组字部件。“舌”与“适”在古代读音相近，所以按照传统的“六书”理论，“舌”是“适”的声符，但这两个字的现代读音差异较大，所以“舌”现在只能看做是“适”的部件了。以“舌”为部件的字还有“括”“活”等。这些字的读音如下：舌 (shé)、适 (shì)、括 (kuò)、活 (huó)。作为部件，书写时应比单独的字瘦窄一些。

奂——“换”字的声符。以“奂”为声符的字还有“唤”“焕”“涣”“痪”等。这几个字的读音完全相同，都读“huàn”。作为部件，书写时应比单独的字瘦窄一些。

易——“踢”字的组字部件。“易”与“踢”在古代读音相近，所以按照传统的“六书”理论，“易”是“踢”的声符，但它们的现代读音有差异，所以“易”现在只能看做是“踢”的部件了。以“易”为部件的字还有“剔”“惕”等。这些字的读音如下：剔(tī)、惕(tì)。作为部件，书写时应比单独的字瘦窄一些。

4. 文化

独特的婚礼

中国有56个民族，每个民族都有自己各具特色的风俗习惯。比如彝族人的婚礼就很独特，有泼水、背新娘等几个过程。在婚礼的前一夜，男方会派一个小伙子到新娘家去迎亲。这个小伙子到了以后，女方的家人和亲戚要向他泼水，因为彝族的风俗认为清水能驱除邪魔，带来幸福。泼水时姑娘们向来迎亲的小伙子展开水战，水势凶猛。第二天，姑娘们保护着新娘，小伙子要凭自己的聪明和勇敢抓到新娘，然后再背着新娘奔跑一两公里，到了新郎家以后，婚礼才正式开始。在这样的婚礼中，去迎接新娘的小伙子很辛苦，他必须忍受前夜泼水的寒冷之苦，第二天还要完成接走新娘的艰巨任务。

五、评估

1. 写出下列词语的拼音。

运动鞋、打算、合适、结婚、郊游、婚礼、舅舅

2. 把下面的汉语句子翻译成英语。

(1) 这种鞋跟那种鞋一样。

(2) 你舅舅今天结婚，我们要去参加婚礼。

(3) 穿运动鞋参加婚礼不太合适。

23 请给我们拿两件大号的T恤衫

一、教学目的

学习对不同事物进行比较。

二、教学内容

1. 交际功能：表达比较
2. 语言要点："比" 字句
3. 语音教学：(1) 听力练习（录音文本见本课"参考资料"）
(2) 辨音练习（录音文本见本课"参考资料"）
(3) 朗读练习（文本见本课"参考资料"）
4. 汉字教学：继续学习认字、写字

三、教学建议

课堂训练策略：关于课堂活动

除了学习折纸，还可以让同学们想一想自己有几件T恤衫，是什么颜色的。

四、参考资料

1. 课文注释与语法说明：比字句

"比" 字句的功能是表示比较。"比" 是介词，作用是引入比较的对象。这种句型的结构是：A比B＋形容词或动词短语。

参与比较的A、B可以是名词、代词，也可以是动词短语。例如：

这个学校比那个学校大。

我比他喜欢音乐。

她比以前漂亮了。

骑自行车比坐公共汽车方便。

这种句型的否定形式是在"比"字前加"不"。例如：

今天不比昨天热。

这个公园不比那个公园漂亮。

注意："A 不比 B +形容词或动词短语"这种否定形式所包含的可能性有两种，一是B比A程度高，一是B与A的程度一样。如"今天不比昨天热"这个句子所包含的意思，可能是昨天比今天热，也可能是今天与昨天一样热。注意学生因不明此义而出现的错误。

2. 语音教学

(1)"听力练习"录音文本

男生甲：请给我们拿两顶棒球帽。

女　人：你们看看这两顶。那边有镜子。

男生甲：我们不用镜子，我弟弟就是我的镜子。

男生乙：请再给我们拿两双10号的运动鞋。

女　人：好，你们试试。

男生乙：这双比那双小。

女　人：哦，对不起，我拿错了。

问题：①第一个男学生买什么？（运动鞋、棒球帽、T恤衫、衬衫）

②他们买几顶帽子？（一顶、两顶、四顶、七顶）

③他们买几号的鞋？（4号、7号、10号、11号）

答案：①棒球帽 ②两顶 ③ 10号

(2)"辨音练习"录音文本

孩子：妈妈，长大以后我想去南极工作。

妈妈：这个想法很好。

孩子：我想现在开始锻炼身体。

妈妈：怎么锻炼呢？

孩子：每天你都买冰淇淋给我吃，以后我就不怕南极寒冷的天气了。

(3)"朗读练习"汉字文本

大猫毛短，小猫毛长，大猫毛比小猫毛短，小猫毛比大猫毛长。

这是一段绕口令，安排在这里，也是为了配合"比较"的表达。教师可以根据学生的兴趣和要求先讲解给他们听，然后再让他们学习朗读。

3. 汉字教学：部件介绍

血——"恤"字的组字部件。"血"与"恤"在古代读音十分相近，所以按照传统的“六书”理论，“血”是“恤”的声符，但这两个字的现代读音有差异，所以“血”只能看做是“恤”的“记号”了。以“血”为部件的字还有“洫”等。这几个字的读音如下：血 (xuè)、恤 (xù)、洫 (xù)。

冈 ——“刚”字的声符。以“冈”为声符的字还有“钢”“纲”“岗”等。这些字的读音如下：冈 (gāng)、刚 (gāng)、钢 (gāng)、纲 (gāng)、岗 (gǎng)。

丁 ——“顶”字的声符。以“丁”为声符的字还有“叮”“盯”“钉”“订”等。这些字的读音如下：丁 (dīng)、顶 (dǐng)、叮 (dīng)、盯 (dīng)、钉 (dīng)、订 (dìng)。

叟 ——“瘦”字的组字部件。这两个字的现代读音有差别，但按照传统的“六书”理论，“叟”是“瘦”字的声符。按照现代汉字的读音，以“叟”为声符的字有“搜”“艘”“馊”“嗖”“飕”“溲”等，这些字都读“sōu”。作为部件，在书写时应该比单独的字瘦窄一些。

五、评估

1. 写出下列词语的拼音。

   帽子、裤子、镜子、时髦、减肥

2. 把下面的汉语句子翻译成英语。

   (1) 请给我们拿两件大号的T恤衫。

   (2) 这种裤子今年最时髦。

   (3) 这条裤子比那条长，也比那条瘦。

3. 将下列句子改写成用“比”表示比较的句子。

   (1) 这个房间大，那个房间不大。

   (2) 他说汉语说得好，我说汉语说得不太好。

   (3) 这个城市干净，那个城市不干净。

   (4) 这种衣服便宜，那种衣服不便宜。

   (5) 我喜欢看电影，他更喜欢看电影。

24　他衣服上画的是龙

一、教学目的

1. 学习表达因果关系；

2. 学习说明出生年份与属相。

二、教学内容

1. 交际功能：(1) 说明因果关系

(2) 说明出生年份和属相

2. 语言要点：(1) “因为……所以……”

(2) “跟……一样”＋形容词（动词或动词短语）

3. 语音教学：(1) 听力练习（录音文本见本课“参考资料”）

(2) 辨音练习（录音文本见本课“参考资料”）

(3) 朗读练习（文本见本课“参考资料”）

4. 汉字教学：继续学习认字、写字

三、教学建议

课堂训练策略

(1) 关于练习查字典：查字典和词典是学生学习语言的重要辅助技能，当教材中出现这样的要求时，教师要让学生自己查，体验查到答案后的快乐。可以以小组为单位一起查，这样每个人只需查一两个生词就可以了。

(2) 关于课堂活动：教师可以事先收集一些关于属相的传说，或者提前让学生进行这方面的准备，收集有关资料。另外，属相总是与出生年份相联系的，但是在教材中为防止时效性太强，不宜出现具体的年月，因此没有将出生年份写出来，在实际的练习中教师可以让学生在说属相的时候，也说出自己的出生年份。

四、参考资料

1. 课文注释与语法说明

(1) 因为你是龙年出生的，所以你叫大龙。

“因为”“所以”是一对表示因果关系的关联词，常常在一起使用。“因为”用来引出某情况发生或存在的原因；“所以”用来引出结果。例如：

因为他生病了，所以没来上课。

因为今天是星期天，所以学校里人很少。

“因为”“所以”连用时，如果不是为了特别强调原因，“因为”常常省略。例如：

他生病了，所以没来上课。

他来晚了，所以没看到表演。

(2) 你跟我一样大。

“一样”是形容词，在这个句子里，位于形容词前作状语。这种句子的结构是：A跟B一样＋形容词。再看几个例子：

这件衣服跟那件一样漂亮。

这个房间跟那个房间一样大。

这儿的冬天跟北京一样冷。

“一样”所修饰的也可以是动词或动词短语。例如：

我跟他一样喜欢旅游。

2. 语音教学

(1) “听力练习”录音文本

男生：Fiona，你知道你属什么吗？

女生：你说什么？我不懂。

男生：我在说属相。我属龙。因为你跟我一样大，所以你也属龙。

女生：马明是不是属马？

男生：你说错了，他姓马，可是他不属马，他属虎。

问题：①女学生属什么？（马、虎、龙、狗）

②马明属什么？（龙、马、鸡、虎）

③谁跟谁一样大？（马明跟女学生一样大，男学生跟女学生一样大，男学生跟马明一样大，男学生跟杰克一样大）

答案：①龙 ②虎 ③男学生跟女学生一样大

(2) “辨音练习”录音文本

孩子：妈妈，我的汉语比张老师的汉语好。

妈妈：胡说！怎么可能呢？

孩子：真的，他写的汉字我都能看懂，可是我写的汉字他看不懂。

(3) “朗读练习”汉字文本

两棵树，十个杈；不长枝叶不开花。

做工种地本领大，写字吃饭都用它。

这是一个谜语，谜底是“手”。教师可以根据学生的兴趣和要求先讲解给他们听，然后再让他们学习朗读。

3. 文化

龙

在人们的印象里，龙是一种形象威猛、善于飞腾的动物，但龙究竟是什么呢？恐怕很多人都说不清楚。

目前学术界普遍认为，龙的形成起源于古代中国人的动物崇拜，并最终形成了具有民族特色的龙文化，一定程度上成为中国文化中尊贵的象征。在封建王朝，龙袍是至尊无上的，只有皇帝才能穿。现在，中国人往往自称“龙的传人”。龙的形成经历了两个阶段：一是图腾阶段，二是神阶段。学者闻一多先生在《伏羲考》一文中说：“龙究竟是什么东西呢？我们的答案是：它是一种图腾，并且只存在于图腾中而不存在于生物界中一种虚拟的生物，因为它是由许多不同的图腾糅合的一种综合体。”的确，龙的形象实际上是蛇身、鱼鳞、狮头尾、鹿角、鹰爪、象牙的复合体。

龙既有动物图腾的一般特性，又有神灵的基本特征。在古代中国人的心目中，龙是掌管雨水的动物神，龙神是被当做具有降雨神性的神来祭礼的。如古代典籍《山海经》曾提到“烛龙”，认为它具有呼风唤雨的神性。传说中还有水龙王、海龙王等等。

五、评估

1. 写出下列词语的拼音。

属相、旗袍、明白

2. 把下面的汉语句子翻译成英语。

(1) 你衣服上画的是不是龙？

(2) 你跟我一样大，你也属龙。

(3) 我长高了，去年穿的旗袍短了。

3. 用括号里所给的词语回答问题。

(1) 杰克今天怎么没来？（因为……所以……）

(2) 你为什么喜欢龙？（因为……所以……）

(3) 你喜欢什么动物？（最）

(4) 这两部电影，哪一部更有意思？（跟……一样……）

25　古代的旗袍是什么样子

一、教学目的

1. 复习本单元所学内容；

2. 学习用汉语写通知；

3. 了解中国的服饰文化。

二、教学内容

1. 交际功能：用汉语写通知

2. 语言要点：复习“跟……一样”结构、“更”字句和“比”字句

3. 语音教学：(1) 听力练习（录音文本见本课“参考资料”）

(2) 辨音练习（录音文本见本课“参考资料”）

(3) 朗读练习（文本见本课“参考资料”）

4. 汉字教学：继续学习认字、写字

三、教学建议

1. 课堂训练策略：关于课堂活动

教师可以组织一次服装展示表演，鼓励同学们穿上中国的传统服装或者自己喜欢的各种各样的服装。但要求他们在展示时，用汉语进行介绍。

2. 关于写作：可要求学生用电脑完成。

四、参考资料

1. 语音教学：关于“朗读练习和唱歌”

太阳太阳给我们带来七色光彩，

照得我们心灵的花朵美丽可爱。

今天我们成长在阳光下，

明天我们去创造七彩世界。

七色光七色光，太阳的光彩，我们带着七彩梦走向未来。

教师可以根据学生的兴趣和要求先讲解给他们听，然后再让他们朗读、学唱。

2. 补充阅读材料

(1) 从前有三个盲人，他们想知道大象是什么样子。听说附近有一头大象，他们决定去摸一摸。一个盲人摸到了象牙，他说："大象跟萝卜一样。""不对，大象跟柱子一样。"另一个盲人不同意，因为他摸到了大象的腿。第三个盲人摸到大象的尾巴。他说："你们都不对，大象比柱子细，比萝卜长，跟绳子一样。"这时候，大象的主人笑了，他说："你们三个都说错了。"他们为什么都错了，你知道吗？

(2) 从前，猫和老鼠是好朋友，它们要一起去参加选属相。因为猫早晨总是起不来，所以它让老鼠叫醒它，老鼠答应了。可是第二天，老鼠没有叫醒猫，它自己去了。选属相的时候，牛排在第一。这时候，老鼠爬到牛的身上，说它是最先到的，于是老鼠就被排在第一了。猫没有参加选属相，所以十二属相里没有猫。后来猫知道了，很生气，就吃了老鼠。从那时候开始，老鼠害怕猫，一看见猫就逃走了。

3. 汉字教学：部件介绍

弋——"代"字的组字部件。作为部件，书写时应该比单独的字瘦窄一些。

甬——"通"字的组字部件。"甬"与"通"在古代读音相近，所以按照传统的"六书"理论，"甬"是"通"的声符，但这两个字的现代读音有差异，所以"甬"现在只能看做是"通"的部件了。以"甬"为部件的字还有"勇""涌""桶""痛""通"等。其中"勇""涌"与"甬"读音相同，可以看做是以"甬"为声符。这些字的读音如下：甬 (yǒng)、勇 (yǒng)、涌 (yǒng)、桶 (tǒng)、痛 (tòng)、通 (tōng)。作为部件，在书写时应该比单独的字瘦窄一些。

矢——"短"字的组字部件。按照传统的汉字理论，"矢"是"短"字的意符，但在现代汉字中，已无法看出这两个字在意义上的联系了，只是组字部件。作为部件，在书写时应比单独的字瘦窄一些。

豆——"短"字的组字部件。以"豆"为部件的字还有"厨""壹"等。它们的读音如下：厨 (chú)、壹 (yī)。作为部件，在书写时应该与单独的字略有不同。

五、评估

1. 写出下列词语的拼音。

古代、样子、兴趣、服装节、建立

2. 把下面的汉语句子翻译成英语。

(1) 古代的旗袍比现在的长，也比现在的大。

(2) 满族建立清朝以后，汉族人也开始穿旗袍了。

(3) 欢迎感兴趣的同学来参加服装节。

第五单元评估与测验

1、请把词语和拼音连接起来。

(1) 服装　　dàhào
领带　　lǐngdài
结婚　　jiéhūn
大号　　fúzhuāng
运动鞋　　yùndòngxié

(2) 减肥　　shǔxiàng
属相　　jiǎnféi
旗袍　　qípáo
古代　　gǎnxìngqù
感兴趣　　gǔdài

2、请把汉语句子和它们的英语意思连接起来。

(1) 你穿这件衣服真漂亮！　　a. Please show us a big-size baseball cap.
(2) 这种鞋跟那种鞋一样。　　b. What a beautiful clothes you wear!
(3) 请给我们拿一顶大号的棒球帽。　　c. He was born in the year of the dragon, so his symbolic animal is dragon.
(4) 他是龙年出生的，他属龙。　　d.Today cheongsam is shorter than that in ancient times.
(5) 现在的旗袍比古代的短。　　e. This kind of shoes is the same as that ones.

3、阅读理解。

上个星期五晚上，朗文中学第五教室举办了一次服装展示会。刘老师穿的是红色的旗袍。安妮穿的是白色的旗袍，白旗袍上画了一条紫色的龙，非常好看。马明穿的是唐装。王小雨穿的是古代法国妇女的服装。李大龙最喜欢穿运动衣，这次他穿了运动衣和运动鞋，还戴上了棒球帽。以前，杰克也喜欢穿运动衣，但这次他穿了一套黑色的西装。

展示会结束的时候，大家觉得这次服装节中安妮的白旗袍最漂亮，王小雨的服装最有意思。

判断对错（T/F）：

1. 安妮穿的是红色的旗袍。(　　)
2. 王小雨穿的是日本服装。(　　)
3. 李大龙最喜欢穿运动衣。(　　)
4. 杰克最喜欢穿西装。(　　)
5. 大家觉得安妮的白旗袍最有意思。(　　)

第六单元　爱护我们的环境

单元介绍

这个单元学习如何表达对某种行为的禁止，如何对别人提出要求，如何向别人提供帮助，谈论暑假计划，以及表达对事情的看法等等。在语言结构上主要介绍“把”字句，以及与之相关的一些结构。

26 这里不能放自行车

一、教学目的

学习表达禁止。

二、教学内容

1. 交际功能：表达禁止

2. 语言要点："把"字句

3. 语音教学：(1) 听力练习（录音文本见本课"参考资料"）

(2) 辨音练习（录音文本见本课"参考资料"）

(3) 朗读练习（文本见本课"参考资料"）

4. 汉字教学：继续学习认字、写字

三、教学建议

课堂训练策略：关于课堂活动

"把"字句是一个比较重要的句型，也是学生学习的难点。除了课本上的课堂活动外，教师还可以让学生根据课文一进行表演，让他们在表演的过程中熟练地运用"把"字句，增加感性认识。

四、参考资料

1. 课文注释与语法说明

(1) 课文注释

① 你不能把自行车放在这儿。

"能"是助动词，表示准许，多用于疑问句和否定句。例如：

我能把自行车放在这儿吗？

这里是教室，你不能在这儿抽烟。

② 我们该回家了。

在这个句子里，“该”是助动词，表示应该，理应如此。“了”是语气助词，表示情况的变化。例如：

十二点了，该吃饭了。

这孩子已经八岁了，该上学了。

(2) 语法说明：“把”字句

“把”字句是汉语中经常使用的一种结构特殊的动词谓语句，其基本结构是：主语 + 把 + “把”字的宾语 + 谓语动词 + 其他成分。

“把”是介词，“把”字句通常用来表示主语通过动作使“把”的宾语发生某些变化、产生某种结果。我们先看一个例子：

他把书放在书包里了。

“他”是句子的主语，“书”是“把”的宾语，“放”是谓语动词，主语“他”通过“放”这一动作使“书”的位置发生了变化，“在书包里”是动作的对象最后到达的位置。

使用“把”字句通常要遵循下列原则：

①“把”的宾语必须是听话人可以理解的、确定的事物。例如，“我把那个香蕉吃了”，“那个香蕉”是确定的。

②“把”字句的谓语动词多数是及物动词，而且具有处置意义。例如“走、跑、离开、开始、结束、来、去”等等，一般都不充当“把”字句的谓语动词。

③“把”字句的谓语动词后要有其他成分。不能说“我把书放”，或“我把香蕉吃”。动词后的成分可以是补语，也可以是助词“了”，或动词重叠。我们看几个句子：

他把作业做完了。

我把杯子里的水喝了。

老师让我们把生词看一看。

请同学们把书打开。

请把门关上，好吗？

“把”字句中的否定副词、助动词、表时间的状语要放在“把”的前面。例如：

他没把书放在书包里。

我们要把教室打扫干净。

我明天把礼物送给她。

你可以把这本书借给我吗？

2. 语音教学

(1)“听力练习”录音文本

男生：你看见我的自行车了吗？

女生：没有。你把它放在什么地方了？

男生：我打球的时候，把它放在路边了。

女生：你不能把自行车放在路边。你最好去问问警察。

男生：好吧。我马上去。

女生：你可以骑我的自行车去。

男生：谢谢。

问题：①男学生丢了什么？（自行车、球、汽车、球鞋）

②女学生说自行车不能放在什么地方？（十字路口、路边、家里、学校）

③男学生怎么去警察那儿？（骑自行车、走路、坐公共汽车、坐爸爸的汽车）

答案：①自行车 ②路边 ③骑自行车

(2)“辨音练习”录音文本

售货员：先生，您好，您要买什么？

男　人：我要买一台电视机。

售货员：我们有很多种电视机，有彩色的、黑白的、汽车上用的，您要哪一种？

男　人：有没有不播广告的电视机？

(3)“朗读练习”汉字文本

生当作人杰，死亦为鬼雄。

至今思项羽，不肯过江东。

这是宋朝李清照的一首五言绝句，诗句抒发了诗人对历史人物和历史事件的感慨。项羽是秦朝末年的起义军将领，他在最后与刘邦的决战中失败了，感到自己没有脸回去见家乡的父老乡亲，在乌江边自杀了。此后，刘邦统一中国，建立了汉朝。

教师可以根据学生的兴趣和要求先讲解给他们听，然后再让他们朗读。

3. 汉字教学：部件介绍

乃——“扔”字的组字部件。“仍”与“乃”两个字在古代读音十分相近，所以按照传统的“六书”理论，“乃”是“仍”的声符。但是，它们的现代读音差别很大，“乃”已经不能作为“仍”的声符了。以“乃”为部件的字还有“奶”“仍”“扔”等。其中“奶”与“乃”读音相同，所以是以“乃”为声符。这些字的读音是：乃 (nǎi)、奶 (nǎi)、仍 (réng)、扔 (rēng)。作为部件，书写时应该比单独的字瘦窄一些。

竟——“境”字的声符。以“竟”为声符的字还有“镜”等。“镜”“境”与“竟”读音相同，都读“jìng”。作为部件，书写时应该比单独的字瘦窄一些。

户——“护”字的声符。“护”是经过简化之后的新的形声字。以“户”为声符的字还有“沪”等。“护”“沪”与“户”的读音相同，都读“hù”。作为部件，书写时应该比单独的字瘦窄一些。

五、评估

1. 写出下列词语的拼音。

   十字路口、打扫、垃圾、爱护、环境

2. 把下面的汉语句子翻译成英语。

   (1) 我的自行车丢了。

   (2) 我把自行车放在这儿。

   (3) 别把垃圾扔在路边。

3. 用“把”字造句，用上给出的词语。

   例：教室　　打扫

   我们把教室打扫干净了。

   (1) 车　　停

   (2) 小说　　看

   (3) 书　　借

   (4) 自行车　　修

   (5) 信　　写

   (6) 作业　　做

4. 排序。

   (1) A 把 B 他 C 修好了 D 电脑

   (2) A 作业本 B 带来了 C 我 D 把

   (3) A 老师 B 讲完了 C 把 D 生词

   (4) A 他 B 把 C 已经 D 作业 E 做完了

   (5) A 请 B 车 C 把 D 停在 E 停车场

27　我们要把教室打扫干净

一、教学目的

学习表达向别人提供帮助。

二、教学内容

1. 交际功能：向别人提供帮助

2. 语言要点：(1)助动词“能”

　　(2) 不定量词“一些”

3. 语音教学：(1) 听力练习（录音文本见本课“参考资料”）

　　(2) 辨音练习（录音文本见本课“参考资料”）

　　(3) 朗读练习（文本见本课“参考资料”）

4. 汉字教学：继续学习认字、写字

三、教学建议

课堂训练策略：关于课堂活动

除了课本上的活动，还可以组织学生们表演课文二并且讨论募捐的活动。

四、参考资料

1. 课文注释与语法说明

(1) 我们能做完。

这个句子里“能”是助动词，用来表示有做某事的能力。再看几个句子：

　　我能看见那边的山。

　　他能看懂中文电影。

　　杰克一次能吃六个面包。

(2) 我们在为环境保护募捐。

“为”在这个句子里是介词，它所引进的是动作服务的对象。例如：

妈妈为大家准备晚饭。

老师为我们讲解练习。

(3) 我捐一些钱。

“一些”是不定量词，通常用来修饰名词，如“一些水”“一些书”“一些问题”。一般说来，它所表示的数量比“一点儿”要多。

2. 语音教学

(1) “听力练习”录音文本

爸爸：Tom，谢谢，你把我的车洗干净了。

Tom：不用谢，爸爸。因为昨天我把你的车弄脏了。

爸爸：你能开车了吗？

Tom：是的，我已经学会开车了。

爸爸：那太好了。

问题：①男孩为什么洗车？（车脏了；他有时间；他高兴；他把车弄脏了）

②车为什么脏了？（男孩开车了；爸爸开车了；下雨了）

③男孩学会开车了，他爸爸觉得怎么样？（生气、高兴、没关系）

答案：①他把车弄脏了 ②男孩开车了 ③高兴

(2) “辨音练习”录音文本

Tom：Henry，你把我的衣服带回来了吗？

Henry：没有。洗衣店的老板说，他不能把你的衣服给我。

Tom：为什么？

Henry：因为你没有把钱给我，我没有钱付给他。

(3) “朗读练习”汉字文本

我爱这条小河，它没有大江的宏伟，也没有大海的壮阔，但是它清清的流水，带给我甜甜的回忆。

这是一段现代诗，教师可以根据学生的兴趣和要求先讲解给他们听，然后再让他们朗读。

3. 汉字教学：部件介绍

庄——“脏”字的组字部件。“脏”是“髒(zāng)”字的简体，也是“臟(zàng)”字的简体。“庄”与“脏”的现代读音有些差异。以“庄”为部件的字还有“赃(zāng)”、“桩(zhuāng)”等，其中，“桩”的读音与“庄”相同，可以将“庄”看做是“桩”的声符。作为部件，书写时应该比单独的字瘦窄一些。

争——“净”字的组字部件。“争”与“净”两个字在古代读音十分相近，所以按照传统的“六书”理论，“争”是“净”的声符。但是，它们的现代读音有差异，“争”已经不能作为“净”的声符了。以“争”为部件的字还有“静”“挣”“睁”等，其中“挣”“睁”与“争”读音相近，可以看做是以“争”为声符。这些字的读音如下：争(zhēng)、挣(zhēng、zhèng)、睁(zhēng)、净(jìng)、静(jìng)。作为部件，书写时应该比单独的字瘦窄一些。

隹——“推”字的组字部件。“隹”与“推”两个字在古代读音十分相近，所以按照传统的“六书”理论，“隹”是“推”的声符。但是，它们的现代读音有些差别，“隹”已经不能作为“推”的声符了。以“隹”为部件的字还有“锥”“椎”等。这两个字的读音与“隹”相同，是以“隹”为声符。这些字的读音如下：隹(zhuī)、推(tuī)、锥(zhuī)、椎(zhuī)。

莫——“募”字的组字部件。“莫”与“募”的现代读音有些差别，但它们在古代的读音是很相近的，所以按照传统的“六书”理论，“莫”是“募”的声符。但是“莫”与“募”的现代读音有差异，所以在现代“莫”不能再看做是“募”的声符了。以“莫”为部件的字还有“摸”“模”“漠”“寞”“摹”“暮”“幕”“慕”“墓”等，其中“摸”“模”“漠”“寞”“摹”与“莫”读音相近，可以看做是以“莫”为声符。这些字的读音如下：莫(mò)、摸(mō)、模(mó)、漠(mò)、寞(mò)、摹(mó)、幕(mù)、募(mù)、慕(mù)、墓(mù)、暮(mù)。作为部件，在书写时应该比单独的字瘦窄一些。

五、评估

1. 写出下列词语、短语或者句子的拼音。

   举行活动、打扫教室、募捐、需要帮忙

2. 把下面的汉语句子翻译成英语。

   (1) 你们能做完吗？

   (2) 请帮我把车推到路边。

   (3) 我们在为环境保护募捐。

28　公共场所禁止吸烟

一、教学目的

学习委婉地向他人提出要求。

二、教学内容

1. 交际功能：委婉地向他人提出要求

2. 语言要点：副词“必须”

3. 语音教学：(1) 听力练习（录音文本见本课“参考资料”）

(2) 辨音练习（录音文本见本课“参考资料”）

(3) 朗读练习（文本见本课“参考资料”）

4. 汉字教学：继续学习认字、写字

三、教学建议

课堂训练策略：关于课堂活动

谈本社区和本学校要禁止的行为时，可以让同学们结合自己养宠物的经历谈谈养宠物遇到的“麻烦事”。

四、参考资料

1. 课文注释与语法说明

(1) 你可以把狗带出去吗？

当要表达请求或要求别人做某事时，可以使用“你＋可以＋动词（动词短语）＋吗”这一句型。这种表达方式是比较客气、委婉的。再看几个句子：

您可以帮我一下吗？

先生，您可以去吸烟室吸烟吗？

您可以到后面排队吗？

(2) 它必须遵守规定。

“必须”是副词，多用于动词、形容词前，表示事实上、情理上非常必要。例如：

我必须完成作业。

教材的内容必须正确。

我们必须在十点以前到达那个地方。

表示否定一般用“不必”，例如：

你不必马上去。

大家不必这样紧张。

2. 语音教学

(1)“听力练习”录音文本

男人：我想吸烟，可以吗？

女人：别在这儿吸烟，这儿是公共场所，禁止吸烟。

男人：对不起，我忘了。

女人：没关系。我们应该爱护公共环境，对吗？

男人：对，我们可以去喝咖啡，那里有吸烟室。

问题：①男人想干什么？（吃饭、吸烟、喝咖啡、喝茶）

②他们在哪儿？（吸烟室、咖啡馆、公共场所、商店）

③哪里可以吸烟？（咖啡馆、饭馆、麦当劳店、公共场所）

答案：①吸烟 ②公共场所 ③咖啡馆

(2)“辨音练习”录音文本

Bill：玛丽，请把你的笔借给我用一用！

玛丽：你为什么不用自己的笔？

Bill：因为它总是出错！

(3)“朗读练习”汉字文本

兄弟七八个，围着圆柱坐。

请它走出来，衣服先撕破。

这是一个谜语，谜底是“蒜”。教师可以根据学生的兴趣和要求先讲解给他们听，让他们猜，然后再朗读。

五、评估

1. 给下列词语、短语加拼音。

食品、遵守规定、禁止吸烟、必须

2. 把下面的汉语句子翻译成英语。

(1) 你必须把狗带出去。

(2) 公共场所禁止吸烟。

(3) 吸烟室在休息室对面。

29 我帮邻居们遛狗

一、教学目的

学习谈论计划。

二、教学内容

1. 交际功能：谈论计划

2. 语言要点：关于助动词（“能”“可以”“会”“要”“想”）

3. 语音教学：(1) 听力练习（录音文本见本课“参考资料”）

(2) 辨音练习（录音文本见本课“参考资料”）

(3) 朗读练习（文本见本课“参考资料”）

4. 汉字教学：继续学习认字、写字

三、教学建议

课堂训练策略：关于课堂活动

可以结合课本上的活动，谈谈自己打工时的趣事。

四、参考资料

1. 课文注释与语法说明

(1) 课文注释

① 我先挣钱，然后再去旅行。

在这个句子里，“先”和“再”都是副词。“再”用在动词前，表示这一动作在另一动作结束后才出现，常常与“先”一起用。例如：

我先吃饭，然后再去找你。

我想先工作，再上大学。

我们先坐火车，然后再坐飞机。

(2) 语法说明：关于助动词

① 能

我们学过助动词“能”的以下几个意义：

A 表示主观上具有某种能力。例如：

我们能把工作做好。

我能看中文报纸了。

他能吃二十个包子。

“会”也表示有能力做某事，但“会”多表示通过学习而具有的能力，而“能”通常只强调“有能力”，不强调能力是如何得到的。

B 表示准许，多用于疑问句和否定句。例如：

不能把狗带进商店里来。

我能用一下你的笔吗？

在陈述句中，肯定的形式一般用“可以”。例如：

你可以参加今天的晚会。

② 可以

A 表示具备某种客观条件。例如：

现在是夏天了，可以游泳了。

这个教室可以放二十张桌子。

B 表示准许或情理上许可。例如：

我可以进来吗？

这儿可以放垃圾。

可以把狗带进商店里来。

陈述句中否定的形式用“不能”或“不可以”。单独回答问题时，一般说“不行”。例如：

教室里不能吸烟。

你不可以这样没礼貌。

我可以用一下你的笔吗？——不行。

③ 会

我们学过“会”的一个意义是表示通过学习而具有做某事的能力。例如：

我会做饭了。

她会说汉语。

“会”也是动词，可以带名词宾语。例如：

他会法语。

你会什么？

④ 要、想

“要”和“想”都可以表示有做某事的愿望，但“想”只是心里的打算，而“要”则表示有强烈的意志，语气要比“想”强得多。试比较：

我想去旅行。

我要去旅行。

我想成为科学家。

我要成为科学家。

“要”的前面还可以加上“一定”等词，以加强语气。例如：

我一定要成为科学家。

2. 语音教学

(1) “听力练习”录音文本

男生：暑假你打算干什么？

女生：旅行。你喜欢夏天出去旅行吗？

男生：喜欢。但是今年我不能去，我没有钱。我要去打工。

女生：你能找到工作吗？

男生：我已经找到工作了。我帮邻居们遛狗。

问题：①男学生打算夏天干什么？（旅行、打工、找工作、遛狗）

②男学生今年去不去旅行？（去；不去；先挣钱，然后去；不喜欢去）

③女孩今年夏天干什么？（打工、遛狗、学习、旅行）

答案：①打工 ②不去 ③旅行

(2) “辨音练习”录音文本

老师：杰克，把你的手给我看看！

杰克：您看，我的手是不是很干净？

老师：你的手太脏了！没有比这只手更脏的手了。

杰克：老师，有！

老师：在哪里？

杰克：在这儿，我的另一只手。

(3) “朗读练习”汉字文本

故人西辞黄鹤楼，烟花三月下扬州。

孤帆远影碧空尽，唯见长江天际流。

这是中国唐朝著名诗人李白的一首诗，题为《黄鹤楼送孟浩然之广陵》。诗中写道：在烟雾弥漫、繁花似锦的三月，诗人在黄鹤楼旁边的江边送别老朋友孟浩然。在茫茫的江面上，一只孤舟消失在蔚蓝的天空中，只看见长江向天边流去。全诗通过对景物的描写，表达了作者送别友人时的依依惜别之情。黄鹤楼，位于武汉的长江边。孟浩然是李白的朋友，也是当时的著名诗人。

教师可以根据学生的兴趣和要求先讲解给他们听，然后再朗读。

3. 汉字教学：部件介绍

州 ——“洲”字的声符。作为部件，书写时应该比单独的字瘦窄一些。

区 (ōu) —— “区”字有两个读音：“qū”“ōu”。这里读作“ōu”，是“欧”字的声符。以“区”为声符的字还有“鸥”“呕”“殴”等，但它们的读音并不完全相同。这些字的读音如下：区 (ōu)、欧 (ōu)、鸥 (ōu)、殴 (ōu)、呕 (ǒu)。

合 ——“答”字的组字部件。以“合”为部件的字还有“盒”等。“合”与“盒”读音相同，是“盒”的声符。作为部件，书写时应该与单独的字略有不同。

留 ——“遛”字的声符。以“留”为声符的字还有“溜”“瘤”等，但它们的读音并不完全相同。这些字的读音如下：留 (liú)、遛 (liù)、溜 (liū)、瘤 (liú)。

五、评估

1. 写出下列词语的拼音。

遛狗、暑假、旅行、打工、零花钱

2. 把下面的汉语句子翻译成英语。

(1) 我找到了一份工作。

(2) 我要挣些零花钱。

(3) 我和妈妈一起去欧洲旅行。

3. 选择适当的助动词填空。

会 能 可以 要 想

(1) 这个教室 ______ 坐三十人。

(2) 暑假我 ______ 去中国旅行。

(3) 爸爸不希望我选这门课，可我一定 ______ 选。

(4) 我 ______ 用一下你的词典吗？

(5) 杰克 ______ 做中国菜了。

(6) 我 ______ 看懂这篇文章。

(7) 不 ______ 在教室里抽烟。

(8) 如果你觉得坐公共汽车不方便，你 ______ 骑自行车上学。

30 暑假就要开始了

一、教学目的

1. 复习本单元所学内容；

2. 了解中文“公开信”的形式；

3. 学习用汉语写海报。

二、教学内容

1. 交际功能：(1) 中文“公开信”的形式

(2) 用汉语写海报

2. 语言要点：复习“把”字句

3. 语音教学：(1) 听力练习（录音文本见本课“参考资料”）

(2) 辨音练习（录音文本见本课“参考资料”）

(3) 朗读练习（文本见本课“参考资料”）

4. 汉字教学：继续学习认字、写字

三、教学建议

1. 课堂训练策略：关于课堂活动

作为最后的复习，除了课本中提供的词语外，还可以另外挑一些词语，让学生进行练习和活动。

2. 关于写作：可要求学生用电脑完成。

四、参考资料

1. 语音教学：关于“朗读练习和唱歌”

请把我的歌带回你的家，请把你的微笑留下。

请把我的歌带回你的家，请把你的微笑留下。

明天明天这歌声，飞遍海角天涯，飞遍海角天涯；

明天明天这微笑，将是遍野春花，将是遍野春花。

这是一首名为《歌声与微笑》的歌曲的歌词。教师可以根据学生的兴趣和要求先讲解给他们听，然后再朗读，最后学唱。

2. 补充阅读材料

(1) 一只狼来到河边，看见了一只羊。它很想吃羊，就对羊说："你在干什么？"羊说："我在喝水。"狼说："昨天我看见河里的水很脏，原来是你弄脏的。你弄脏了河水，应该受到惩罚，我要吃了你！"羊说："今天早晨我才出生，我不可能弄脏昨天的河水。"狼非常想吃羊，它又说："那一定是你妈妈弄脏了河水。"

(2) 一只狐狸走在路上，它从早上到现在一直没有找到吃的东西。这时候，它看见前面有一个葡萄架，上面的葡萄已经熟透了。看见葡萄，狐狸的口水流出来了。可是，葡萄在高高的架子上，狐狸上不去。狐狸站在下面，希望葡萄掉下来，可是葡萄没有掉下来。狐狸跳起来摘，可是葡萄架太高了。狐狸很失望，它安慰自己说："这些葡萄都是生的，它们是酸的。"

3. 汉字教学：部件介绍

戈——"划"字的组字部件。作为部件，书写时应该比单独的字瘦窄一些。

午——"许"字的组字部件。"午"与"许"在古代读音相近，所以按照传统的"六书"理论，"午"是"许"的声符。但是"午"与"许"的现代读音不同，所以现在"午"不能再看做是"许"的声符了。以"午"为部件的字还有"忤""迕""仵"等。"忤"与"午"读音相同，是以"午"为声符的。这几个字的读音如下：午 (wǔ)、许 (xǔ)、忤 (wǔ)、迕 (wǔ)、仵 (wǔ)。作为部件，书写时应比单独的字瘦窄一些。

山——"岸"的意符。以"山"为意符的字其意义多与山有关，如"岗""岳"等。作为部件，书写时与单独的字略有不同。

4. 文化

巨大的"悬河"——黄河

黄河是中国的第二大河，全长约5 500公里。黄河流域是中华文明的发祥地。然而黄河自古以来就是一条含沙量很大的河，由于它巨大的输沙量，目前黄河下游的不少地区由于淤泥的长期堆积，河床已经高出地面3～10米。人们为了防洪，仍在不断地加固加高堤坝，所以黄河仍然在不断地升高，它真的已成为一条悬浮在人们头上的"地上河""悬河"。在过去的很长时间里，这条"悬河"经常发洪水，给两岸的居民带来灾难。应该说，黄河泥沙越来越多与沿岸自然环境遭到破坏有很大的关系。

近年来，黄河又出现了一个怪现象，就是长时间地出现“断流”。中国人喜欢把黄河比喻成“母亲河”，黄河断流就意味着母亲没有乳汁了。这一可怕的现象使人们意识到黄河两岸的自然环境已经遭到较为严重的破坏，必须采取措施予以治理。

新中国成立后，政府对黄河进行了开发水资源、建设水电站、保持水土等多方面的综合治理，取得了显著的成效，使黄河不再是一条“灾河”。比如，黄河“小浪底水利枢纽工程”于近期刚刚竣工，这项工程就是一项以防洪为主，兼顾防凌、减淤、灌溉和发电的特大型综合治理工程。有关专家认为，该工程可使黄河下游的洪水灾害千年不遇，下游河道20年内不淤积，河堤20年内不加高，同时每年还能提供约50亿度的电力。

五、评估

1. 写出下列词语、短语、句子的拼音。

   暑假计划、夏令营、请注意安全、考察

2. 把下面的汉语句子翻译成英语。

   (1) 你的暑假计划是什么？

   (2) 请来参加我们的绿色夏令营。

   (3) 希望你们过一个愉快的暑假。

第六单元评估与测验

1、请把词语和拼音连接起来。

(1) 打扫　　lājī
　垃圾　　xūyào
　需要　　dǎsǎo
　举行　　shípǐn
　食品　　jǔxíng

(2) 规定　　shǔjià
　暑假　　guīdìng
　旅行　　yúkuài
　愉快　　xiàlìngyíng
　夏令营　　lǚxíng

2、请把汉语句子和它们的英语意思连接起来。

(1) 我们要爱护环境！　　a. No smoking in public places.
(2) 我们要把教室打扫干净。　　b. We should treasure our environment.
(3) 公共场所禁止吸烟！　　c. I'm going to travel in Europe.
(4) 我要去欧洲旅行。　　d. What is your plan for summer holiday?
(5) 你的暑假计划是什么？　　e. We should clear our classroom.

3、阅读理解。

明天就要放暑假了，马明和杰克决定参加学校举行的夏令营活动。马明打算参加绿色夏令营，因为绿色夏令营时间不长，只需要20天。夏令营结束以后他可以去打工挣钱。杰克想参加欧洲旅行夏令营，他爱好历史，他一直很想去欧洲。但是，杰克有一只小狗，他必须找到一个人帮助他照顾小狗。他打算把小狗放到好朋友李大龙家。

判断对错（T/F）：

1. 马明希望夏令营的时间长一点儿。(　　)

2. 绿色夏令营的时间不长。(　　)

3. 杰克想去欧洲旅行。(　　)

4. 杰克爱好历史。(　　)

5. 杰克请李大龙帮他照顾小狗。(　　)

附　录

第二册交际功能总结

第一课

(1) 表示欢迎　(2) 自我介绍与介绍他人

第二课

(1) 问路　(2) 表达出行方式

第三课

说明打算、计划

第四课

向别人借东西

第五课

(1) 给朋友写信　(2) 描写环境

第六课

(1) 讨论体育比赛的情况和结果　(2) 简单表达对事情的看法

第七课

(1) 表达给予和拒绝　(2) 表达惋惜

第八课

(1) 表达惋惜　(2) 简单表达不同观点

第九课

表达事情急迫

第十课

(1) 用汉语写海报　(2) 用汉语写日记

第十一课

(1) 询问与说明正在进行的动作　(2) 与他人协商

第十二课

(1) 为他人留言　(2) 向他人表示节日祝贺　(3) 写留言条

第十三课

(1) 介绍家庭　(2) 说明理想　(3) 表示道歉

第十四课

向他人征求意见

第十五课

(1) 了解天气情况　(2) 看、听天气预报

第十六课

表达对食物的喜好和需求

第十七课

邀请别人一起做某事

第十八课

说明饮食行为的结果

第十九课

(1) 说明疾病的症状　(2) 建议他人做某事

第二十课

(1) 用汉语讲述事情经过　(2) 用汉语写请假条

第二十一课

表达称赞

第二十二课

(1) 表达比较　(2) 征求他人意见

第二十三课

表达比较

第二十四课

(1) 说明因果关系　(2) 说明出生年份和属相

第二十五课

用汉语写通知

第二十六课

表达禁止

第二十七课

向别人提供帮助

第二十八课

委婉地向他人提出要求

第二十九课

谈论计划

第三十课

(1) 中文公开信的形式　(2) 用汉语写海报

第二册语言要点总结

第一课

(1) 敬词“请问”　(2) 介绍互不相识的双方认识常用句子“我来介绍一下”

(3) “这是……”用于介绍人们认识

第二课

(1) 介词“往”　(2) 副词“一直”　(3) 疑问代词“怎么”

(4) 表动作方式的连动句

第三课

(1) 助动词“想”　(2) 连词“不过”

第四课

(1) 助动词“能”　(2) 动词“借”

第五课

(1) 复习连动句　(2) 复习“想”“能”“可以”等助动词

(3) 表存在的“是”字句

第六课

语气助词“了”

第七课

(1) 双宾语动词谓语句　(2) “太……了”句式　(3) 助动词“要”

第八课

(1) 副词“已经”　(2) “从……到……”句式

第九课

“就要……了”句式

第十课

(1) 复习语气助词“了”、副词“已经”和助动词“要”

(2) 复习双宾语

第十一课

(1) 副词“在”表示动作正在进行 (2) 语气助词“吧”(表示揣测的语气)

(3) 副词“再”

第十二课

兼语句

第十三课

时间名词“以前”和“现在”

第十四课

(1) 助动词“应该” (2) 副词“还”(表持续)

(3) 语气助词“了”(表示新情况的出现)

第十五课

复习副词“在”和“还”

第十六课

(1) 动态助词“了”(表示动作、行为的实现)

(2) 疑问代词“怎么”用来询问原因

第十七课

(1) 语气助词“了”(表变化) (2) “又……又……”结构 (3) 副词“最”

第十八课

(1) 副词“只” (2) 副词“再”(表重复) (3) 结果补语

第十九课

(1) “……怎么了”结构 (2) 副词“最好”

第二十课

(1) 复习结果补语 (2) 动词“见面” (3) 副词“后来”

第二十一课

(1) 主谓短语作主语 (2) 语气助词“呢” (3) 副词“更”

第二十二课

跟……一样

第二十三课

“比”字句

第二十四课

(1) 因为……所以…… (2) “跟……一样”+形容词(动词或动词短语)

第二十五课

复习“跟……一样”结构、“更”字句和“比”字句

第二十六课

(1) 助动词“该”“能”　(2) “把”字句

第二十七课

(1) 助动词“能”　(2) 介词“为”　(3) 不定量词“一些”

第二十八课

(1) “你＋可以＋动词（动词短语）＋吗”句式　(2) 副词“必须”

第二十九课

关于助动词 (“能”“可以”“会”“要”“想”)

第三十课

复习“把”字句